Ancien chirurgien, Eric Hazan a repris la direction de la maison d'édition de son père (Fernand Hazan). Avec un groupe d'amis, il a fondé sa maison d'édition La Fabrique, en 1998, afin de publier des livres d'histoire, de philosophie et de politique. Son premier livre est *L'Invention de Paris. Il n'y a pas de pas perdus* (Seuil, 2002).

Eric Hazan

UNE TRAVERSÉE
DE PARIS

Seuil

REMERCIEMENTS

Valérie Kubiak et Arrigo Lessana ont fait du manuscrit une lecture critique qui a beaucoup contribué à lui donner sa forme actuelle. Françoise Fromonot a joyeusement répondu à mes questions sur l'architecture contemporaine. Thomas Bouchet, François Chaslin, Jean-François Cabestan m'ont apporté de précieux éclaircissements. À toutes et tous, qui m'ont encouragé dans cette traversée, un fraternel merci.

TEXTE INTÉGRAL

isbn 978-2-7578-6624-5
(isbn 978-2-02-132037-4, 1ʳᵉ publication)

© Éditions du Seuil, 2016

pour Cléo

1

Dans *La Traversée de Paris*, film de Claude Autant-Lara qui date de 1956, Jean Gabin et Bourvil marchent dans la nuit de l'Occupation, rendue plus noire que d'ordinaire par la défense passive qui a fait éteindre les lampadaires et doubler les fenêtres de papier bleu sombre. Les deux lascars chargés de lourdes valises contenant des quartiers de porc cheminent depuis la rue Poliveau jusqu'à la rue Lepic – du Jardin des plantes à Montmartre. C'était un film très célèbre dans ma jeunesse et aujourd'hui encore le « Salauds de pauvres » de Gabin a la patine d'un dicton populaire. Sans doute est-ce cette histoire qui m'a inspiré le titre de ce livre et peut-être le projet tout entier, même s'il n'a rien de commun avec les aventures de Gabin et Bourvil, où les rencontres au son des sirènes avec agents cyclistes en pèlerine, trafiquants de marché noir, patrouilles allemandes et dames faisant commerce de leurs charmes sont autant d'épisodes cocasses dans des décors qui font de Paris le cadre d'un rêve nocturne.

Mon trajet est plutôt diurne et son orientation est différente : d'Ivry à Saint-Denis, il suit à peu près la ligne de partage entre l'est et l'ouest parisiens ou, si l'on veut, le méridien de Paris. Cet itinéraire, je l'ai choisi sans réfléchir mais dans un deuxième temps il m'a sauté aux yeux que ce n'était pas un hasard, que ce tracé suivait les méandres d'une existence commencée près du jardin du Luxembourg, menée pendant longtemps face à l'Observatoire et poursuivie au moment où j'écris plus à l'est, à Belleville, mais avec de longues étapes entre-temps à Barbès et sur le versant nord de la butte Montmartre. Et de fait, sous l'effet de cet incomparable exercice mental qu'est la marche, des souvenirs sont remontés à la surface au fil des rues, jusqu'à des fragments de passé très lointains, à la frontière de l'oubli.

Si cette traversée commence à Ivry, c'est à cause d'une librairie. « Envie de lire » n'est pas seulement une boutique où l'on vend des livres, c'est aussi un lieu de flânerie et de découverte. Les piles souvent instables ne sont pas disposées au hasard mais reliées par un fil qu'il faut un moment pour discerner. Peut-être ne trouvera-t-on pas le titre que l'on est venu chercher mais peu importe, on sortira avec sous le bras de la photographie, de la philosophie, un roman mexicain ou les souvenirs d'un révolutionnaire oublié. Ce petit local de la rue Gabriel-Péri est propice au débat, à la dispute parfois. Les présentations de livres se terminent tard, les groupes sur le trottoir ne parviennent pas à se séparer, tandis que les libraires finissent de rentrer les caisses ouvertes à tous sous les arcades. L'entreprise est une SCOP, elle n'a donc pas de patron mais R., massif comme peuvent l'être les Espagnols, est à la fois l'âme du lieu et le représentant d'une espèce menacée, celle des communistes poétiques.

Une autre raison de choisir Ivry comme point de départ est l'étonnant centre de la ville, dont « Envie de lire » est un point d'animation. C'est un ensemble architectural qui ne rappelle rien de connu. En sortant du métro et en levant le nez, on est frappé par un enchevêtrement de pointes, d'angles aigus, de polygones irréguliers, de passerelles, de terrasses plantées, le tout en béton brut. Les blocs de petits immeubles, tous dessinés de façon légèrement différente, sont reliés par contact direct et par un réseau d'escaliers et de passages en hauteur créant un labyrinthe à trois dimensions. Enserrées dans l'enchevêtrement général, une demi-douzaine de petites tours ponctuent un paysage où le gris du béton est adouci par le vert débordant des terrasses plantées.

Les architectes, Renée Gailhoustet et Jean Renaudie, ont mis trente ans à bâtir cet ensemble, du début des années 1960 à la fin des années 1980, à une époque où la banlieue était en proie au *zoning* – la répartition des différentes activités en zones distinctes –, aux barres et à l'urbanisme de dalle. Eux ont au contraire superposé les fonctions, imbriqué commerces, services, ateliers d'artistes, crèches, écoles, bureaux et logements, dans un essai d'habitat collectif rendu possible par le soutien de la municipalité communiste. Renée Gailhoustet loge dans le quartier qu'elle a construit. Depuis sa terrasse plantée d'arbres fruitiers, elle me montre que c'est par là, par ces espaces décalés, superposés, presque jointifs, que s'établissent les liens entre les locataires. Elle raconte comment elle a dessiné les appartements des tours pour en faire des duplex à double exposition, et tous les trucs qu'elle a inventés pour que ces HLM soient aussi beaux que chez les riches.

La sortie du métro Mairie-d'Ivry ouvre sur une bruyante avenue élargie en place. De là, elle ne se prolonge pas vers l'ouest, vers le cimetière parisien et Villejuif, car elle bute sur une colline qui porte à son sommet une petite église médiévale et, derrière elle, un cimetière campagnard à cent mètres du flux automobile. La circulation s'infléchit vers Paris par une voie

11

qui porte le nom du grand homme d'Ivry : l'avenue Maurice-Thorez. Elle est bordée de bicoques, d'ateliers, de garages, de petites usines, d'immeubles bas – paysage que l'on traverse sans bien regarder mais qui n'est pas dépourvu de charme. Par des échappées, la vue s'étend sur le bas d'Ivry et la Seine, avec pour repères les cheminées fumantes du chauffage urbain et la flèche de béton en signal sur la barre rouge de la cité Maurice-Thorez.

Sur Thorez, je suis partagé. Docile exécutant de la politique de Staline, champion du productivisme à la Libération, organisateur de procès de Moscou à Paris, le personnage n'a rien que de détestable. Mais malgré tout, malgré lui, son nom reste lié à la mémoire d'une époque où, pour toute une jeunesse dont je faisais partie, le communisme n'avait rien à voir avec le terrible système qui sévissait alors en Europe de l'Est. C'était un monde où des relations fraternelles se liaient au fil des réunions, des manifestations, des actions menées joyeusement *en commun*, des vacances aussi. J'ai une grande dette envers mes camarades communistes du lycée Louis-le-Grand puis du PCB (Physique, Chimie, Biologie, année préparatoire aux études de médecine qui se déroulait dans un bâtiment de brique face à l'entrée du Jardin des plantes du côté de la maison de Cuvier). C'est à eux que je dois d'avoir rompu avec l'univers auquel tout me destinait comme fils d'une bonne famille bourgeoise juive assimilée – oui, rompu, et définitivement, même si les métiers que j'ai exercés par la suite, la chirurgie et l'édition, ne comptent pas parmi les plus prolétariens. Malgré les Garaudy, les Kanapa et Thorez, je ne crois pas juste de recouvrir sous le terme de « stalinien » tout ce qui touche au communisme de ces années-là, pas juste non plus de renier la part que j'y ai prise. À dire vrai, j'en serais même plutôt fier.

À la porte d'Ivry comme ailleurs, la jonction entre banlieue et Paris n'est ni belle ni douce. En 1860, quand Paris avait annexé les communes de la première couronne, la suture s'était faite de façon naturelle. Celui qui passe aujourd'hui de la rue du Faubourg-du-Temple à la rue de Belleville n'a pas l'impression de franchir un obstacle bien qu'il marche sur l'emplacement d'une ancienne porte, la barrière de Belleville percée dans le mur des Fermiers-Généraux. Le passage est parfois un peu plus heurté, comme entre la rue du Faubourg-Poissonnière et la rue des Poissonniers à travers le très désarticulé carrefour Barbès, ou entre l'avenue des Gobelins et l'avenue d'Italie à travers la place d'Italie, mais le franchissement reste facile.

Entre le Paris des vingt arrondissements et les communes adjacentes, c'est une autre affaire, surtout dans le nord et l'est, où cheminer à pied de Paris à la banlieue peut prendre un tour presque aventureux. À la porte des

Lilas où le périphérique a pourtant été enterré, entre les derniers HBM du boulevard Mortier et les premières maisons anciennes de la rue de Paris aux Lilas, il faut traverser un grand vide avec à gauche un espace vert miteux (le jardin Serge-Gainsbourg qui, d'après un panneau, participe à « la continuité urbaine », beau déni de réalité) et à droite un cinéma, gigantesque blockhaus noir près d'un garage d'autobus. À la porte de Pantin, après avoir quitté l'avenue Jean-Jaurès bordée d'un côté par un hôtel Mercure et de l'autre par l'effrayante Philharmonie de Jean Nouvel, on chemine dans un *no man's land*, on passe sous le périphérique, on franchit les bretelles d'accès et les voies du tramway, on contourne un espace vert inaccessible planté de graminées et de petits sapins de Noël, mais le trajet reste possible sans danger. Plus loin, à la porte de la Chapelle, le paysage est indescriptible : le périphérique, le pont des voies de chemin de fer de l'Est rejoignant obliquement celles du Nord, les rails du tramway, les bretelles des autoroutes A1 et A3 forment un ensemble tel que rares sont ceux qui se risquent à aller à pied de la rue de la Chapelle à Saint-Denis.

À la porte d'Ivry où je me suis arrêté un moment, les flux routiers sont bien moindres et ce n'est pas le chaos mais le bétonnage immobilier qui l'emporte. Le bâti pauvre mais digne de l'avenue Maurice-Thorez s'ouvre sur la place Jean-Ferrat, grand carré dont le centre est marqué par un mélèze fatigué (un arbre de la liberté planté pour le centenaire de 1789, d'après la pancarte). Sur le côté droit de la place subsistent des bicoques populaires – boucherie hallal, pizzas, Lycamobile – alors qu'à gauche, au pied de tours de vingt étages, assurances et magasins d'électroménager représentent la modernité. Du côté de Paris, la place est bordée par le périphérique. À l'angle, un grand bâtiment de béton et fausses briques porte en lettres triomphales l'omniprésent syntagme « BNP Paribas ». Il ne suffit pas à cet établissement bancaire d'avoir défiguré la Maison dorée du boulevard des Italiens, chef-d'œuvre de l'architecture romantique, il ne lui suffit pas d'avoir enlaidi d'innombrables carrefours parisiens par ses agences verdâtres, il lui faut trôner aussi en banlieue, comme ici ou aux Grands Moulins de Pantin où il a soumis un paysage à la Doisneau à sa rentabilité glaciaire.

Entre le périphérique et le boulevard des Maréchaux qui porte ici le nom de Masséna, on traverse la ZAC Bédier. Comment ce respectable médiéviste qu'était Joseph Bédier s'est-il trouvé embarqué dans cette galère ? C'est qu'une rue minuscule y porte son nom, affluent de la place du Docteur-Yersin – le pasteurien qui découvrit le bacille de la peste, *Yersinia pestis* – on ne sort pas du Moyen Âge. Le fleuron de la ZAC sera un immense immeuble de bureaux sur l'avenue de la Porte-d'Ivry. Le panneau indique que les architectes sont J.-M. Ibos et M. Vitart, anciens élèves et associés de Nouvel connus pour des réalisations portant la même marque que leur maître, le souci de la façade. Elle sera ici, représentée sur le panneau, une répétition uniforme de percements hauts et étroits. Dans cette ZAC, la chance est une fois de plus manquée d'une jonction harmonieuse entre centre et périphérie par du tissu urbain soigneusement tricoté.

Sur le boulevard Masséna, dans l'angle entre l'avenue d'Ivry et la rue Nationale je découvre une sorte de relique, les anciennes usines Panhard & Levassor. L'essentiel de la structure à trois niveaux a été conservé, de pierre massive en bas et de brique aux deux étages. Une plaque indique : « Ici naquit l'industrie automobile en 1891. » C'est de ces murs que sortirent tant de merveilles, comme la grosse berline Dynamic de 1938, aux phares grillagés, qui avait trois places à l'avant et le volant au milieu, ou la petite Dyna dont le moteur faisait un curieux bruit de casserole mais qui gagnait chaque année les 24 Heures du Mans « à l'indice de performance ». Pendant la Première Guerre mondiale, Panhard & Levassor, comme Citroën, comme Renault, faisait travailler des ouvriers amenés d'Indochine ou recrutés en Chine pour remplacer les Français au front. C'est là, dit-on, l'origine du quartier chinois du XIIIe arrondissement, dont le développement date des années 1970 avec l'arrivée des *boat people*.

L'avenue d'Ivry est à la limite est de ce *chinatown* qui se prolonge sur la dalle des Olympiades. Elle est moins animée que l'avenue de Choisy voisine mais l'on y trouve quelques restaurants rouge et or et des supermarchés chinois devant lesquels des femmes âgées vendent des bouquets d'herbes aromatiques sur des cageots renversés. Elle se termine au croisement avec la rue de Tolbiac, segment d'une longue rocade tracée depuis la Seine

au pont de Tolbiac jusqu'à la Seine au pont Mirabeau ou, si l'on préfère, de Léo Malet à Guillaume Apollinaire. Son but était de relier et désenclaver les communes annexées en 1860, Ivry, Gentilly, Montrouge, Vanves, Vaugirard, Grenelle. Elle porte les noms de batailles oubliées dont il n'est pas sûr qu'elles ont toutes eu lieu : Tolbiac (victoire de Clovis sur les Alamans), Alésia (défense de Vercingétorix assiégé par César), Vouillé (victoire des Francs sur les Wisigoths). Les édiles des années 1860 cherchaient sans doute à affirmer les origines gauloises et franques du pays (c'est plus tard, sous la IIIe République, que le dernier segment fut nommé rue de la Convention). Si cette voie remplit bien son rôle pour la circulation, elle n'a pas servi de tuteur à des développements urbains notables : tout au long de ces rues, peu d'animation, peu de pittoresque, on roule – ce qui est aussi vrai pour la rocade équivalente sur la rive droite : avenue Simon-Bolivar, rue des Pyrénées, avenue du Général-Michel-Bizot.

Sur la rue de Tolbiac, à quelques mètres du carrefour avec les avenues d'Ivry et de Choisy, un bâtiment de style 1950 abrite les Archives d'architecture du XXe siècle. C'était il y a cinquante ans le centre chirurgical Marie-Lannelongue où j'ai mené un travail expérimental sur les artères coronaires dans un laboratoire dirigé par le bourru et charmant Michel Weiss, le seul à m'avoir fait confiance lorsque je soutenais qu'on pouvait faire de la chirurgie sur ces vaisseaux du calibre d'une allumette ou deux. Je garde un bon souvenir des nuits passées à surveiller les chiens opérés en refaisant le monde avec Weiss et le garçon du laboratoire qui s'appelait Michel lui aussi. Personne ou presque ne croyait que ce travail expérimental pourrait avoir des applications cliniques, je m'en souviens aujourd'hui où des interventions sur les coronaires se déroulent tous les jours dans des dizaines de centres en France, des milliers dans le monde.

Peu après ce carrefour, l'avenue de Choisy s'ouvre à droite sur un havre : le grand square de Choisy, presque un parc, qui date de l'Exposition internationale de 1937. Un bâtiment en brique de la même époque occupe un côté du square : la fondation Eastman, centre de soins dentaires fondé par George Eastman, philanthrope américain qui fut rien de moins que l'inventeur du film photographique en celluloïd et du premier appareil portable, le Kodak (*Press the button, we do the rest*. Que Kodak ait pu faire faillite et être racheté par un entrepreneur taïwanais est aussi stupéfiant que la déroute de la General Motors.)

Le square est dessiné à la française, avec une grâce qui tient à l'harmonie des proportions entre pièce d'eau, grandes pelouses et rangées doubles de tilleuls. Dans les années 1980, on pouvait y voir une sculpture de Richard Serra, *Clara Clara*, deux grandes plaques courbes en acier Corten entre lesquelles le regardeur pouvait cheminer. Il paraît qu'on va la sortir des réserves et la mettre en place près de la Philharmonie de Nouvel, où un peu de beauté ne sera pas de trop.

Au bout de l'avenue de Choisy, je parviens sur la place d'Italie où la façade plate de la mairie du XIIIᵉ arrondissement a comme contrepoint un immeuble de Kenzo Tange, le Grand Écran, aujourd'hui Italie Deux. Tange a été un bon architecte dans les années 1960, mais cet immense mur-rideau concave surmonté d'un ascenseur-campanile en Meccano n'ajoute rien à sa gloire. La place elle-même est un rond-point routier à grande échelle. Le terre-plein central est désert car la traversée pour l'atteindre n'est possible que pour d'audacieux sprinters – c'est d'ailleurs en traversant la place d'Italie que

Giacometti fut renversé par une voiture et en resta boiteux toute sa vie. Le terre-plein est planté de paulownias, comme le précise dans son *Journal de guerre* le botaniste qu'était Ernst Jünger. Le 5 mai 1943, il y passe en allant au centre Eastman où il fait soigner ses dents : « Tous ces paulownias sur la place d'Italie : une impression de précieuse huile aromatique brûlant sur des candélabres enchantés[1]. » Les fleurs bleues de ces candélabres ne suffisent pas à donner du charme à la place d'Italie, qui en a moins encore que la place de la Nation, autre grand rond-point sur le tracé du mur des Fermiers-Généraux, mais dont le terre-plein central s'orne du magnifique « Triomphe de la République » de Dalou. Les édiles lui préférèrent la grosse dame des frères Morice qui contribue aujourd'hui à enlaidir la place de la République. C'est que Dalou était alors mal vu : il avait été membre de la Commission des artistes pendant la Commune, ce qui restait impardonnable dans les années 1880. Plus tard, il sculptera d'autres merveilles à Paris, comme le fronton des Grands Magasins Dufayel rue de Clignancourt, le monument à Delacroix au Luxembourg ou le gisant sur la tombe de Blanqui au Père-Lachaise.

Pendant les journées de juin 1848 eut lieu sur le site de l'actuelle place d'Italie l'un des événements les plus controversés de cette grande insurrection des ouvriers parisiens, qui prirent les armes contre la menace d'être envoyés en Algérie comme ouvriers agricoles ou en Sologne pour assécher les marais. La barrière d'Italie était percée dans le mur des Fermiers-Généraux qui suivait le tracé actuel du boulevard de l'Hôpital d'un côté et de l'autre celui du boulevard Blanqui. Située au centre de la place actuelle, la barrière, dessinée par Claude-Nicolas Ledoux comme les cinquante-deux autres portes du mur, était composée de deux pavillons dont les façades à arcades s'opposaient dans une parfaite symétrie avec entre eux les bureaux de l'octroi.

C'est là que commencent les malheurs du général Bréa le 25 juin, troisième jour de la bataille. Après s'être emparés de la moitié est de Paris dans les premiers jours, les insurgés sont en pleine retraite, en déroute même sur la rive gauche où ils ont été chassés à coups de canon du Quartier latin, du Panthéon, de la montagne Sainte-Geneviève et du faubourg Saint-Marceau.

Repliés à la barrière d'Italie, ils sont quelques centaines derrière une barricade dressée entre les deux pavillons. Le général Bréa arrive devant la barrière à la tête d'une colonne de 2 000 hommes et propose de négocier. Les récits sont si discordants qu'on ne pourra jamais trancher entre ruse de guerre et réel souci de ne pas ajouter aux flots de sang déjà versés. Ce qui est sûr, c'est qu'entré dans le camp insurgé Bréa n'en sortira pas vivant : il est tué avec son aide de camp dans une maison de la route de Fontainebleau [actuelle avenue d'Italie], du côté de Maison-Blanche. Vingt-six auteurs présumés de cet « abominable forfait » passent en conseil de guerre en janvier 1849. Ils sont condamnés à de lourdes peines de prison et deux d'entre eux, Daix et Lahr, à la peine de mort. Pour leur exécution, la guillotine est dressée près de la barrière d'Italie, entourée de milliers d'hommes de troupe et de douze pièces de canon.

Dans l'histoire de l'année 1848 en France, les journées de Juin tiennent une place singulière et même paradoxale. Que l'événement ait été gigantesque, Tocqueville lui-même en porte témoignage, lui qui y participa du côté de l'ordre : « Cette insurrection de Juin, la plus grande et la plus singulière qui ait eu lieu dans notre histoire et peut-être dans aucune autre : la plus grande, car, pendant quatre jours, plus de cent mille hommes y furent engagés et il y périt cinq généraux ; la plus singulière, car les insurgés y combattirent sans cri de guerre, sans chefs, sans drapeaux et pourtant avec un ensemble merveilleux et une expérience militaire qui étonna les plus vieux officiers[2]. » Pourtant, ce monument noir reste peu exploré : la dernière monographie qui lui soit consacrée date de 1880. C'est qu'aucune figure brillante n'émerge de la foule des ouvriers anonymes qui prirent les armes le 23 juin. Là où la Commune de Paris eut

Vallès et Courbet, Louise Michel, Élisabeth Dmitrieff, Eugène Varlin et tant d'autres, l'insurrection de Juin ne propose aucun personnage, aucun récit auquel accrocher l'imaginaire. Rappelons donc les noms, honorons la mémoire de ceux qui furent traduits devant le conseil de guerre pour l'affaire Bréa : Daix, journalier ; Guillaume Pierre, dit la Barbiche, batteur en grange ; Coutant, tonnelier ; Beaude, cordonnier ; Monis, charcutier ; Goué, contremaître tanneur ; Paris, marchand de chevaux ; Quintin, garçon maçon ; Lebelleguy, cotonnier ; Naudin, journalier ; Luc, employé des Ponts et Chaussées ; Moussel, ouvrier des ports ; Vappreaux aîné, marchand de chevaux ; Vappreaux jeune, *idem* ; Lahr, maçon ; Nourrit, garnisseur de couvertures ; Bussière, bijoutier ; Chopart, employé de librairie ; Nuens, horloger[3].

2

Pour gagner le centre depuis la place d'Italie, plusieurs itinéraires sont possibles, dont le plus bruyant et le plus encombré est le boulevard de l'Hôpital. Il faut un effort d'imagination pour se représenter qu'il traversait autrefois l'une des contrées les plus reculées et les plus pauvres de la ville, un quartier de brigands et de chiffonniers où Jean Valjean et Cosette s'étaient mis à l'écart du monde, abrités dans la masure Gorbeau, « espèce d'appentis délabré qui servait de remise à des maraîchers ». De temps plus anciens encore, il reste le porche de la Salpêtrière encadré par le métro aérien, avec au fond le dôme octogonal de la chapelle, chef-d'œuvre de Libéral Bruant qui date des années 1670.

En 1955, j'ai passé un semestre d'été à la Salpêtrière comme stagiaire dans le service d'Henri Mondor. C'était la dernière année avant la retraite de ce petit homme vif qui montait encore les marches deux à deux. Les stagiaires étaient au dernier rang de la visite du maître : cinquante personnes au bas mot, qui piétinaient en bavardant dans les immenses salles communes à trois rangs de lits, un contre chaque mur et un autre au milieu. Impossible de voir ni d'entendre quoi que ce soit, les agrégés, les chefs de clinique, le malade examiné étaient bien trop loin. Mondor était un personnage prestigieux, auteur de traités chirurgicaux, spécialiste de Mallarmé, dessinateur de roses... À cette époque, il était encore possible pour un chirurgien d'être tout cela mais il valait mieux être en bonne santé que soigné dans ces hôpitaux qui n'avaient pas beaucoup changé depuis Ambroise Paré.

De la place d'Italie, je pourrais aussi descendre l'avenue des Gobelins jusqu'à l'église Saint-Médard puis gravir la montagne Sainte-Geneviève par la rue Mouffetard jusqu'au Panthéon, trajet qui suit l'axe historique du faubourg Saint-Marceau, quand la rue Mouffetard allait de la Contrescarpe jusqu'à la barrière d'Italie, quand, dans le Paris des douze arrondissements, le XIIe était « le plus pauvre quartier de Paris, celui dans lequel les deux tiers de la population manquent de bois en hiver, celui qui jette le plus de marmots au tour des Enfants-Trouvés, le plus de malades à l'Hôtel-Dieu, le plus de mendiants dans les rues, qui envoie le plus de chiffonniers au coin des bornes, le plus de vieillards souffrants le long des murs où rayonne le soleil, le plus d'ouvriers sans travail sur les places, le plus de prévenus à la Police correctionnelle », comme dit Balzac dans *L'Interdiction*.

Même bouleversé par les percées haussmanniennes (boulevards Saint-Marcel, Arago, Blanqui), le faubourg Saint-Marcel restait dans les années 1950 un quartier ouvrier avec, entre autres, les usines Delahaye qui fabriquaient encore des voitures de sport, les raffineries Say, les usines d'air comprimé Sudac... Mais comme l'arrondissement votait rouge, il fut l'un des premiers à être « rénové » avec une particulière brutalité (avec le XXe, pour la même raison). Il ne serait plus possible de reprendre la « promenade des *Misérables* » que je faisais avec mon père le dimanche matin, de chercher trace de la masure Gorbeau, de suivre Marius rêvant à Cosette rue du Champ-de-l'Alouette, de retrouver rue Croulebarbe la guinguette de la mère Grégoire qui avait pour clients Chateaubriand, La Fayette, Béranger et le jeune Hugo. (Mon père, bien qu'immigré naturalisé en 1945, connaissait bien Paris et Hugo.)

Pour quitter la place d'Italie, j'ai choisi un trajet plus contourné qui mène vers un fantôme urbain, une trace à la fois enterrée et présente : la Bièvre et sa vallée. La Bièvre est une petite rivière qui prend sa source à Guyancourt dans les Yvelines, traverse Jouy-en-Josas, Bièvres, Antony, Cachan, Gentilly, et entre dans Paris par la poterne des Peupliers sous le boulevard Kellermann. Son trajet parisien est enterré depuis 1912 et intégré dans le réseau des égouts de la ville. C'est que depuis le XVIIe siècle des métiers s'étaient développés le long de la rivière qui nécessitaient de l'eau en abondance : tanneries, mégisseries, teintureries, toutes activités que l'on disait pestilentielles. Huysmans : « Spoliée de ses vêtements d'herbe et de ses parements d'arbres, elle a dû se mettre à l'ouvrage et s'épuiser aux horribles tâches qu'on

exigeait d'elle. [...] Elle est devenue mégissière, et, jour et nuits, elle lave l'ordure des peaux écorchées, macère les toisons épargnées et les cuirs bruts, subit les pinces de l'alun, les morsures de la chaux et des caustiques[4]. »

Mais si la Bièvre a disparu de la surface, son parcours est bien connu. Il suit d'abord le trajet de la rue Vergniaud – c'est de là qu'en débordant l'hiver la rivière répandait ses eaux dans un marais dont la glace, conservée sous la paille, a donné son nom à la rue de la Glacière. La Bièvre passe ensuite sous le boulevard Blanqui, enserre entre deux branches le square René-Le Gall, passe sous le boulevard Arago, gagne le Jardin des plantes et se jette dans la Seine près du pont d'Austerlitz. Mais cet abouchement n'est que partiel : au XVe siècle, les moines de l'abbaye Saint-Victor (sur le site actuel de la Mutualité) détournèrent le cours de la rivière pour faire tourner leurs moulins. Ce « canal des Victorins » asséchait presque le cours naturel de la rivière et finissait par rejoindre le tracé actuel de la rue de Bièvre pour se jeter dans la Seine en face de Notre-Dame.

Le boulevard Blanqui, qui s'appelait autrefois boulevard d'Italie, reçut son nom actuel en 1905, à l'époque du Bloc des gauches, en hommage au Vieux qui vécut ses dernières années au numéro 25, dans une chambre au cinquième étage mise à sa disposition par un ami. (Les plaques du boulevard qualifient Blanqui d'« homme politique », ce qui est exactement ce qu'il méprisait le plus. Non loin de là, Pascal est traité de « philosophe et mystique », Stendhal, dans le XXe arrondissement, de « littérateur ». Ce n'est pas seulement le texte qui ne va pas sur ces plaques : il faut protester – je proteste en tout cas – contre le remplacement des anciennes plaques en fonte émaillée, où

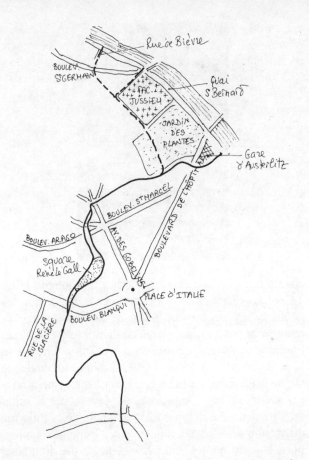

la typographie était un beau caractère Bodoni, par des plaques de tôle imprimées en minables caractères bâtons.)

Blanqui avait été libéré en 1879 de la centrale de Clairvaux où il était détenu depuis sept ans, condamné à la réclusion à perpétuité pour avoir participé à la journée insurrectionnelle du 31 octobre 1870 menée contre le gouvernement de la « Défense nationale ». De sa

27

chambre sur le boulevard, il écrivit une longue lettre à Georges Clemenceau qui avait fait campagne pour sa libération. Blanqui voyait en lui un porteur d'espoir et sa lettre se lit comme un passage de flambeau : « Devenez l'homme de l'avenir, le chef de la révolution. Elle n'a su ni pu en trouver un depuis 1830. La chance lui en donne un, ne le lui enlevez pas[5]. » C'est bien étrange pour nous qui savons ce que Clemenceau est devenu par la suite.

L'immeuble du numéro 25, à l'angle de la jolie rue du Moulin-des-Prés qui monte vers la Butte-aux-Cailles, porte aujourd'hui les couleurs violette et rose d'un hôtel Mercure. On a laissé la plaque rappelant en termes fort justes l'illustre habitant qui partit de là pour le Père-Lachaise avec 100 000 Parisiens derrière lui.

Sur le trottoir d'en face, à l'angle de la rue Abel-Hovelacque où travaillent les amis des Éditions de la Découverte, l'école Estienne qui a formé des générations aux métiers du livre et a eu pour élève le jeune

Robert Doisneau. Plus loin, le boulevard Blanqui fait un coude juste après la station de métro Corvisart et son beau parement de briques. La rue Corvisart (médecin personnel de Napoléon) descend en pente douce vers la vallée de la Bièvre, vers un petit quartier, le seul où l'on puisse se sentir au creux d'un vallon en plein Paris. Le hasard et quelques esprits sensibles au lieu ont réuni là des architectures variées, un bois, un vieux château, le tout formant un *paysage composé* comme on disait au temps de Nicolas Poussin.

Le square René-Le Gall (conseiller du XIIIᵉ arrondissement, résistant, fusillé le 7 mars 1942) date de 1938. Il est en contrebas par rapport à la rue Croulebarbe qui est donc bordée par un haut mur de soutènement. Après une aire de jeux, pas très belle, comme c'est habituel – balançoires et toboggans mal dessinés et peints de couleurs criardes, comme s'il était acquis que les enfants n'ont pas de goût –, j'entre dans un petit bois ou plutôt un morceau de forêt que l'on dirait presque sauvage tant les jardiniers ont pris soin de le laisser pousser avec le moins de contrainte possible. Puis, entre la lisière de cette forêt et la limite du square marquée par les murs du Mobilier national, au centre de l'espace dégagé, *une œuvre* se déploie – on dit bien que le bosquet de l'Encelade à Versailles est une œuvre. Le cadre est un quinconce de buis taillés et le centre, une roseraie : quatre légères tonnelles en demi-cylindre ouvert encadrent un petit obélisque de pierres apparentes. Les rosiers grimpent sur les tonnelles et enserrent l'obélisque. Pour rendre sensible le charme de ce lieu, il faudrait ressusciter l'un de ces peintres qui n'étaient pas des paysagistes mais ont peint presque par hasard un unique paysage – je pense aux jardins de la villa Médicis par Vélasquez, à la vue du Luxembourg par David, peinte depuis la cellule où il attendait la guillotine après Thermidor.

Pour sortir du square, on a le choix entre deux escaliers à double volée, l'un qui mène vers la rue des Cordelières et l'autre vers la rue Croulebarbe. Des deux côtés, la rampe est soutenue par un haut mur sur lequel s'inscrivent d'étranges médaillons de pierres, galets et coquillages où l'on peut discerner des figures humaines et animales. Au bas des rampes, de grosses boules de pierre ponctuent ce remarquable ensemble, œuvre d'un architecte nommé Jean-Charles Moreux.

Remarquable n'est pas trop fort. Pendant l'entre-deux-guerres, on n'a pas construit grand-chose dans Paris, hormis le triste prolongement du boulevard Haussmann de la rue de la Chaussée-d'Antin jusqu'à la rue Drouot, qui détruisit sur son passage les galeries du Thermomètre et du Baromètre, repaire des surréalistes dans les années 1920. Mais c'est de cette époque que datent plusieurs beaux squares dessinés dans les quartiers périphériques – le parc de Choisy on l'a vu, le square inscrit dans l'évasement de la rue Sorbier à Ménilmontant, le square Séverine près de la porte de Bagnolet – avec deux chefs-d'œuvre : le square René-Le Gall et le square du Chapeau-Rouge, dont les terrasses s'étagent le long du boulevard Sérurier au-dessus du Pré-Saint-Gervais, avec vue sur toute la banlieue nord-est de Paris et tout au fond, par temps clair, les hauteurs de la forêt de Montmorency.

Par l'escalier du côté Croulebarbe, je parviens devant l'immeuble du Mobilier national, l'une des œuvres majeures d'Auguste Perret à Paris. La cour centrale est précédée d'une structure dont je ne sais pas s'il faut l'appeler porche (mais elle est sans épaisseur), arcade (mais sans arc) ou peut-être colonnade : deux paires de colonnes en béton cannelé, légèrement fuselées, portent une mince architrave convexe. Au bas de chaque couple de colonnes est couché un lion de pierre. Cette entrée légère et presque fantaisiste équilibre la sévérité des trois côtés de la cour et leurs grands percements aveugles. C'était une obligation : le bâtiment est un garde-meuble, et les meubles se gardent à l'abri de la lumière. (Comment a-t-on pu proposer – et mieux encore accepter – de mettre les livres dans des tours vitrées et les lecteurs dans des caves à la Bibliothèque nationale de France ?)

De l'autre côté de la rue Croulebarbe s'élève le premier gratte-ciel construit à Paris, en 1960 : vingt-deux étages, interrompus par une terrasse à hauteur du sixième destinée à créer une relation visuelle avec les rues situées à l'arrière, plus hautes que la rue Croulebarbe encaissée dans la vallée. L'ossature en tubes d'acier est si bien dessinée que l'hostilité à l'époque de la construction s'est dissipée. Il fait aujourd'hui partie du quartier.

Je quitte la vallée de la Bièvre par la rue Gustave-Geffroy qui monte en lacets vers l'avenue des Gobelins. (Gustave Geffroy fut le premier biographe de Blanqui – *L'Enfermé*, 1897 – et c'est en allant visiter sa prison à Belle-Île qu'il fit la connaissance de Claude Monet, dont il devint l'un des principaux soutiens. Geffroy a ici sa rue car il fut nommé par Clemenceau administrateur du Mobilier national.) Dans la montée, on aperçoit le « château de la reine Blanche », qu'on voit mieux depuis la rue des Gobelins (autrefois rue de Bièvre). Cet authentique bâtiment du XVe siècle n'a sans doute rien à voir avec la reine Blanche, dont on ne sait s'il s'agit de la veuve de Saint Louis ou de Blanche de Navarre, épouse du roi Philippe VI de Valois[6]. Et la légende voulant que s'y soit déroulé le fameux bal des Ardents (les courtisans du roi fou, Charles VI, enduits de poix et de plumes pour un bal masqué, grillés vifs dans un incendie) n'est pas fondée non plus.

Puis, par la petite rue des Marmousets, je passe du silence au vacarme en débouchant sur le boulevard Arago.

Ce boulevard gagne à être connu. En voiture et même à bicyclette, rien n'accroche l'œil, mais à pied c'est différent. Ses marronniers sont parmi les plus précoces de Paris, ils ont des feuilles dès le début d'avril et prennent les couleurs de l'automne au mois d'août. Le bâti a pour fond ces immeubles que l'on dit à tort « haussmanniens » alors qu'ils datent des années 1880 – leur façade porte souvent leur date avec le nom de l'architecte. (On confond le tracé, qui est en effet haussmannien, et l'époque de construction. Les immeubles bâtis sous Haussmann ne sont pas si fréquents qu'on le pense[7].) Il s'y mêle quelques bâtiments des années 1960 et des hôtels particuliers pittoresques. Au numéro 65, la Cité fleurie est un ensemble d'ateliers d'artistes datant lui aussi des années 1880, qui eut autrefois comme locataires Gauguin et Modigliani et aujourd'hui Jérôme Saint-Loubert Bié, qui dessina voici bientôt vingt ans la maquette des livres de La Fabrique.

Le boulevard Arago croise ensuite la rue de la Santé, frontière des XIIIe et XIVe arrondissements. Cet angle fut le lieu des exécutions publiques de 1909 à 1939, après quoi elles eurent lieu à l'intérieur de la prison. En face de la porte d'entrée, blindée et toujours fermée, un immeuble a remplacé vers 1960 des maisons basses et un café à l'enseigne de La Bonne Santé. Le mur de la prison porte à l'angle de la rue Jean-Dolent une plaque rappelant les noms de dix-huit résistants exécutés ici après avoir été jugés et condamnés par les Sections spéciales, tribunaux créés en 1941 par Pierre Pucheu, ministre de l'Intérieur, et Joseph Barthélemy, ministre de la Justice. Il faudra sans doute attendre une cinquantaine d'années pour qu'une autre plaque signale que dans ces mêmes murs furent guillotinés des membres du FLN condamnés à mort par des tribunaux militaires pendant la guerre d'Algérie, lors de procédures comparables à celles des Sections spéciales.

Les visites à la Santé entrent aujourd'hui par une minuscule guérite sur la face opposée à la grande porte, dans la courte rue Messier. Il y a quelques années, je suis passé plusieurs fois par là pour aller voir un ami incarcéré. C'était l'hiver, des bonnes sœurs installées dans une roulotte sur le trottoir d'en face offraient du café aux pauvres gens qui attendaient dans le froid. Dans la queue, parmi toutes ces familles, je n'ai jamais vu un seul Blanc. Il n'y en avait pas beaucoup non plus chez les matons qui contrôlaient les entrées : comme dans les hôpitaux parisiens, les emplois subalternes de l'administration pénitentiaire se recrutent beaucoup aux Antilles.

On entend dire que la Santé va être détruite*. Elle serait la dernière d'une longue série de prisons disparues depuis qu'a été démantelée à l'été 1789 la plus célèbre d'entre elles, la Bastille : l'Abbaye, près de l'église Saint-Germain-des-Prés, où débutèrent les massacres de Septembre ; la Force, rue Saint-Antoine à l'angle de l'actuelle rue Mahler, où furent enfermés Claude-Nicolas Ledoux – qui en sortira vivant – et plus tard les quatre sergents de La Rochelle, guillotinés en place de Grève le 21 septembre 1822 pour avoir comploté contre la restauration monarchique ; les Madelonnettes, prison pour femmes à l'emplacement du lycée Turgot, rue Turbigo ; Sainte-Pélagie, entre la rue de la Clef et la rue du Puits-de-l'Ermite, prison politique sous la Restauration et la monarchie de Juillet, qui vit passer toutes les têtes de l'opposition républicaine et aussi Gérard de Nerval qui l'évoque dans un poème :

> Dans Sainte-Pélagie,
> Sous ce règne élargie,
> Où, rêveur et pensif,
> Je vis captif[8]…

Il y avait encore Clichy, prison pour dettes qui s'ouvrait au 68 de la rue homonyme, où les débiteurs étaient enfermés et entretenus aux frais des créanciers ; et la Petite Roquette, panoptique hexagonal pour femmes qui ne fut détruit qu'en 1974.

Après la Santé, à l'angle de la rue du Faubourg-Saint-Jacques se dresse un socle nu. Avant la guerre, il portait

---

* Elle a été démolie en janvier 2016.

la statue de François Arago, face aux jardins de l'Observatoire dont il fut longtemps le directeur. Une inscription indique que cette statue fut détruite par le gouvernement de Vichy et qu'en 1994 Jan Dibbets, artiste conceptuel néerlandais, la remplaça par un « monument imaginaire, fait de médaillons marqués du nom de l'astronome, fixés au sol sur le parcours du méridien de Paris qui coupe cette place à hauteur du socle de la statue » – bien meilleur hommage que l'un de ces navets que produit la statuaire actuelle. Personnage ambigu que ce François Arago : grand savant, opposant sous la monarchie de Juillet, actif partisan de l'abolition de l'esclavage en 1848, c'est une icône républicaine. Mais il fut aussi ministre de la Guerre du gouvernement provisoire au début de la IIe République et il dirigea en personne la canonnade des barricades au Quartier latin pendant les journées de Juin, en engueulant les ouvriers insurgés qui s'en prenaient à la République et au résultat du suffrage universel.

De ce socle, en longeant l'Institut d'astrophysique, la Société des missions évangéliques et la clinique Arago – résumé en quelques mètres des polarités scientifique, théologique et hospitalière du lieu – je bute sur le postérieur du Lion de Belfort, place Denfert-Rochereau.

Au temps de Chateaubriand et de Balzac, ce lieu s'appelait *barrière d'Enfer*. Les barrières du mur des Fermiers-Généraux – portes percées dans le mur de l'octroi – portaient tantôt le nom de la route qui en partait (barrière d'Italie, de Neuilly) et tantôt celui de la rue qui y aboutissait (barrière de la Chapelle, du Maine ou de Rochechouart). Il existait bien une rue d'Enfer menant à la barrière, mais de quel enfer s'agissait-il ? Peut-être la rue en question était-elle la *via Inferior*, la rue Saint-Jacques étant la *via Superior* :

via Inferior, *Infera*, d'Enfer... Je ne sais pas non plus si la barrière d'Enfer a été choisie comme lieu d'hommage au colonel Denfert-Rochereau par une homonymie de hasard ou s'il faut y voir une trace d'esprit farceur chez les conseillers municipaux des années 1880.

Traversé en tous sens par la circulation, l'espace autour du Lion est-il une vraie place ou seulement un grand carrefour ? Pour qu'il y ait place, il me semble que l'enveloppe doit comporter davantage de fermé que d'ouvert, davantage de bâti que de béances, abouchement de rues, espaces verts ou autres. Mais quelle que soit la définition, Paris n'est pas une ville de places, comme le dit Louis Chevalier : « Que valent, à côté des places de Rome – de leurs fontaines éclatantes, des marbres de Michel-Ange nimbés de poussière d'eau –, nos places à nous ? [il aurait dû dire "du Bernin", je ne vois pas de statues de Michel-Ange dans des fontaines à Rome.] La République et sa grosse dame de bronze sur fond de caserne ; la Bastille, immense et vide, piquée d'une colonne et qui faillit avoir un éléphant ; la Concorde elle-même affublée d'un obélisque[9]... »

Alors, vraie place, celle de Denfert-Rochereau ? Oui, malgré tout, car elle est fortement centrée, structurée, organisée par les deux pavillons de l'ancienne barrière qui lui donnent du sens, qui en font plus qu'un carrefour balayé par le flot circulatoire.

Ce sont deux bâtiments de plan carré qui se font face, symétriques par rapport à l'avenue qui s'est appelée successivement *d'Orléans*, *du Maréchal-Leclerc*, et plus récemment, dans ce court premier segment, *du Colonel-Rol-Tanguy* – lequel prépara dans le sous-sol du pavillon de droite en regardant vers Montrouge l'insurrection du 19 août 1944. Dans ce pavillon-là, les services de la voirie parisienne étudient les matériaux de revêtement, les différents types de pavage et d'asphalte. Dans celui d'en face, c'est l'Inspection générale des carrières de Paris – la porte qui donne accès aux Catacombes est d'ailleurs mitoyenne de ce pavillon. Les façades des deux bâtiments illustrent le néoclassicisme de Claude-Nicolas Ledoux : l'entrée est encadrée de deux paires de colonnes dont le dessin paraît simple au premier coup d'œil – un cylindre interrompu par l'interposition de trois gros blocs parallélépipédiques. Le deuxième coup d'œil montre que le cylindre est légèrement effilé et que les trois blocs diminuent de largeur de bas en haut. Cette massivité, cette sévérité – mots rituels à propos de Ledoux – s'accordent bien, me semble-t-il, avec les ferronneries modern style de Guimard pour l'entrée du métro, contre le pavillon de droite. Devant lui, sur le trottoir, la roulotte de Madame Ranah, voyante et médium, et une baraque à gaufres sont les vestiges de la fête foraine qui se tenait souvent là autrefois et où, petit garçon, j'essayais de voir la culotte des filles dont les jupes volaient sur les machines à balancer.

Chacun des deux pavillons est bordé à l'arrière de squares qui datent, comme le Lion, des années 1880. Leur dessin est vague et leur végétation pauvre mais ils ont un certain charme qui tient à leurs petits monuments délabrés édifiés aux débuts de la IIIe République. Derrière la station de métro, dans le square qui porte le nom de Claude-Nicolas Ledoux, une petite pyramide tronquée entourée de personnages affligés est un monument à Ludovic Trarieux, fondateur de la Ligue des droits de l'homme au moment de l'affaire Dreyfus. Le square voisin, de l'autre côté de la rue Froidevaux (officier des pompiers mort dans un incendie), rappelle lui aussi le nom d'un architecte néoclassique, Jacques Antoine, auteur entre autres de la Monnaie et de l'École des ponts et chaussées, rue des Saints-Pères. Le monument central a perdu sa statue mais le socle est orné de chaque côté d'un bas-relief de bronze illustrant un aspect de la vie de François-Vincent Raspail : au nord, c'est le médecin des pauvres, debout, chapeau à la main, prenant le pouls d'un moribond entouré d'une famille éplorée ; au sud, c'est le leader politique, avec le même chapeau mais sur la tête, montrant la voie d'un large geste à des insurgés armés de fusils. J'avais de la sympathie pour le personnage de Raspail qui me semblait plus proche de Blanqui que d'Arago. En passant rue de Sévigné, j'avais toujours un coup d'œil au numéro 5 pour la plaque indiquant que là ce « promoteur du suffrage universel, né à Carpentras le 24 janvier 1794, mort à Arcueil le 7 janvier 1878, donna gratuitement ses soins aux malades de 1840 à 1848 ». Mais j'ai changé d'avis après avoir lu, dans les *Souvenirs d'un révolutionnaire* de Gustave Lefrançais, que Raspail était propriétaire d'immeubles et faisait expulser les locataires qui ne payaient pas leur loyer – dont Lefrançais entre autres[10].

Derrière le pavillon des Catacombes, dans le square de l'Abbé-Migne (ecclésiastique philologue du XIXe siècle), une petite colonne porte l'effigie en bas-relief de Charlet, graveur et lithographe de l'époque romantique, qui joua un grand rôle dans la propagation de la légende napoléonienne. C'était un personnage de la même envergure que Béranger – dans *Les Misérables* on lit que « si Virgile hantait le cabaret romain, David d'Angers, Balzac et Charlet se sont attablés à la gargote parisienne ».

Sur son côté est, la place est bordée par la gare du RER B (quand j'étais au lycée, on disait la ligne de Sceaux), la plus ancienne de Paris qui soit totalement conservée et c'est heureux car, avec sa façade ondulée animée par des pilastres et ses trois grandes portes, elle ferme joliment l'espace entre l'avenue René-Coty et le boulevard Saint-Jacques.

Les immeubles autour de la place sont plutôt cossus, surtout du côté orienté vers Montparnasse. Au sud, entre un restaurant indien et une étude notariale se trouve l'hôtel Floridor qui, s'il n'a qu'une seule étoile dans les guides, est cher aux amis de Walter Benjamin qui vécut là en 1934-1935, entre ses séjours au Palace Hôtel sur le carrefour Mabillon et au 23 rue Bénard, à deux pas de Denfert-Rochereau.

Il se trouve que j'ai avec le Lion une relation personnelle. Plus exactement, j'ai envers lui une dette car il est lié à un virage décisif dans mon existence. C'était en 1981, j'habitais au parc Montsouris et travaillais depuis près de vingt ans dans le service de chirurgie du cœur à l'hôpital Laennec, près du Bon Marché. Une nuit, appelé pour une urgence, je me trouvais bloqué dans ma voiture par les feux qui sont longs à passer au vert place Denfert-Rochereau. Et en regardant le Lion, il m'apparut soudain comme une évidence que je ne continuerais pas la même existence pendant vingt ans de plus. Pour la première fois cette nuit-là, devant cette statue, j'ai envisagé d'arrêter la chirurgie, de changer de vie, de quitter ce monde auquel je me sentais étranger malgré le temps écoulé. Si bien que depuis, à chaque passage devant le Lion, je lui tire mentalement mon chapeau et le remercie de m'avoir orienté vers une nouvelle existence.

Avant le percement haussmannien du boulevard Saint-Michel, une longue voie menait depuis le pont Saint-Michel jusqu'à la barrière d'Enfer parallèlement à la rue Saint-Jacques. De ce trajet, certains segments subsistent plus ou moins modifiés et d'autres ont été absorbés, inclus dans les rues modernes. Au départ du pont, la très ancienne rue de la Harpe est aujourd'hui encombrée par la prolifération des pizzérias, kebabs et restaurants grecs. (Quand j'étais étudiant, le quartier Saint-Séverin était désert le soir et l'on ne trouvait que deux établissements pour dîner, l'un rue de la Huchette, qui s'appelait je crois « Chez Papille », et l'autre rue des Prêtres-Saint-Séverin, tenu par des Yougoslaves et orné de grandes photos de Mihailovic, le chef de la résistance serbe rival de Tito.) La rue de la Harpe montait ensuite sur le tracé actuel du boulevard Saint-Michel depuis la rue Racine jusqu'à la place Saint-Michel [Edmond-Rostand]. Là, l'axe prenait le nom de rue d'Enfer, longeait le Luxembourg puis suivait l'actuelle rue Henri-Barbusse. Du carrefour de l'Observatoire, la rue d'Enfer menait ensuite jusqu'à la barrière en un dernier segment qui est aujourd'hui l'avenue Denfert-Rochereau.

En descendant la rue d'Enfer depuis la barrière [ou, en termes actuels, l'avenue Denfert-Rochereau depuis la place], le mur de gauche bordait autrefois l'infirmerie Marie-Thérèse fondée par Mme de Chateaubriand pour accueillir des veuves et des prêtres âgés. Au

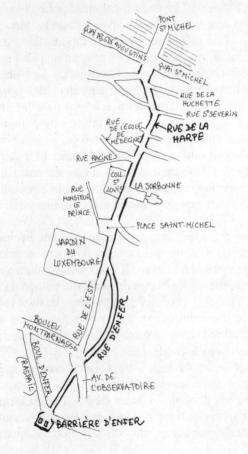

livre XXXVII des *Mémoires d'outre-tombe* rédigé dans ce lieu en mai 1833, Chateaubriand, alors âgé de soixante-cinq ans, médite sur l'aménagement du site : « Mes arbres sont de mille sortes. J'ai planté vingt-trois cèdres de Salomon et deux chênes de druides : ils font les cornes à leur maître de peu de durée, *brevem dominum*. [...] Ces arbres, je ne les ai pas choisis comme à la *Vallée-aux-Loups* en mémoire des lieux que j'ai parcourus : qui se plaît au souvenir conserve des espérances. Mais lorsqu'on n'a ni enfants, ni jeunesse, ni patrie, quel attachement peut-on porter à des arbres dont les feuilles, les fleurs, les fruits ne sont plus les chiffres mystérieux employés au calcul des époques d'illusion ? [...] Au reste mes arbres ne s'informent guère s'ils servent de calendrier à mes plaisirs ou d'extraits mortuaires à mes ans ; ils croissent chaque jour, du jour que je décrois : ils se marient à ceux de l'enclos des *Enfants trouvés* et du boulevard d'Enfer qui m'enveloppent. Je n'aperçois pas une maison ; à deux cents lieues de Paris je serais moins séparé du monde. »

L'entrée du lieu, toujours occupé par une institution charitable, est fermée sur l'avenue. On peut admirer les jardins depuis le boulevard Raspail à travers une grille, ou mieux depuis le chemin de ronde qui entoure la fondation Cartier. Les cèdres sont toujours là, dont le plus imposant est celui qui se trouve presque intégré dans l'impeccable façade de verre de la fondation construite par Jean Nouvel en 1994.

De retour sur l'avenue Denfert-Rochereau, je longe le mur de l'Œuvre des jeunes filles aveugles et je parviens devant l'hôpital Saint-Vincent-de-Paul. C'était encore à l'époque romantique l'hôpital des Enfants-Trouvés : on pouvait abandonner son enfant dans le fameux *tour* dont parle Balzac dans le passage cité plus haut. Le dispositif était analogue à celui qu'on trouve dans les bureaux de poste : un cylindre mi-ouvert et mi-fermé dont la rotation permet de faire passer un paquet d'un côté à l'autre d'une paroi, sans que celui ou celle qui dépose le nouveau-né puisse être vu(e), ou sans qu'il soit possible de menacer d'un pistolet le préposé au guichet pour se faire remettre la caisse.

Ce lieu est pour moi indissociable du souvenir d'un homme dont c'est peu de dire qu'il y a travaillé : il y a passé l'essentiel de sa vie. Gilbert Huault était roux, pas très grand mais d'imposante stature technique et morale. Il avait inventé, élaboré, amené à maturité une discipline nouvelle : la réanimation néonatale. L'unité de soins de Huault n'était pas une usine mais la pointe avancée de l'artisanat médical : tout était pensé, tout était parfait jusqu'au dernier sparadrap. Pendant des années, la chirurgie cardiaque pédiatrique parisienne a confié à Huault ses opérés : les bébés de trois ou quatre kilos étaient transportés en ambulance spéciale jusqu'à SVP, comme on disait. Le rouquin n'était pas commode, je ne me rappelle pas l'avoir souvent vu rire, mais j'ai été souvent engueulé par lui parce que le cathéter était mal fixé, parce que le drain était à moitié bouché, parce que la sonde était trop enfoncée… Il n'était jamais satisfait et, bien qu'il ne fût ni plus vieux ni plus titré que moi, il m'en imposait. Il a tiré d'affaire des nourrissons par centaines, il a formé des générations de réanimateurs pédiatriques, il était toujours là, il ne prenait pas de vacances. Peut-être était-il quelque peu névrosé pour mener pareille existence, mais s'il existe quelque chose comme une justice divine et un paradis, alors Gilbert Huault est sûrement là-haut, et en bonne place.

L'hôpital est fermé depuis 2011, la cour est envahie par la végétation et les montants métalliques du portique sont rouillés. En entrant par l'école de sages-femmes, on peut marcher jusqu'au mur du fond qui sépare l'hôpital de la rue Boissonnade, l'une des plus belles de Montparnasse. Tous les bâtiments vont être rasés et l'on construira à leur place un *éco-quartier* – inquiétante perspective.

Face à l'hôpital s'ouvre la rue Cassini qui longe la façade de l'Observatoire, œuvre de Claude Perrault, le frère de Charles, l'auteur des *Contes*. Claude fut à la fois médecin et architecte – non des moindres : c'est à lui que fut confiée la colonnade du Louvre après que les projets du Bernin eurent été refusés par Colbert. Quant à Cassini, c'est le nom de toute une dynastie d'astronomes qui furent pendant plus d'un siècle les directeurs de l'Observatoire.

Le numéro 12 de la rue Cassini est un immeuble de style moderne 1930 où j'ai vécu avec mes parents du lendemain de la Libération jusqu'à mes dix-huit ans. Depuis notre duplex aux cinquième et sixième étages, la vue plongeait dans les jardins d'un couvent de l'avenue Denfert-Rochereau où les bonnes sœurs faisaient pousser leurs légumes, et s'étendait au loin vers le sud, jusqu'à Gentilly et Ivry. Les journées étaient rythmées par le face-à-face avec la grande horloge de l'Observatoire, dont j'ai sans doute tiré ma manie de la ponctualité. J'ai passé là mes années de lycée (il n'y avait pas de collèges à l'époque), d'abord à Montaigne où je me rendais par les allées de l'Observatoire en longeant les frises du Parthénon reproduites sur le bâtiment de briques devenu Institut d'art et d'archéologie, puis la faculté de pharmacie, puis l'École coloniale (on disait la Colo) construite en style mauresque. À partir de la classe de quatrième, les élèves de Montaigne passaient à Louis-le-Grand qui n'était pas le lycée élitiste qu'il est devenu. Pour m'y rendre, je prenais tantôt la rue Saint-Jacques et tantôt le boulevard Saint-Michel, mais quand il pleuvait je prenais le 38 – plate-forme ouverte à l'arrière où les pompiers et les agents de police pouvaient monter « en surnombre » en s'accrochant aux montants, receveur qui glissait les billets dans la fente d'un petit appareil métallique tenu sur son ventre et tournait pour les estampiller une manivelle dont j'entends encore le bruit.

La rue Cassini a peu changé depuis lors. Du côté du faubourg Saint-Jacques, plusieurs hôtels particuliers 1900 y mettent du pittoresque, même si l'immeuble du numéro 1 n'est plus celui où Balzac vécut de 1828 à 1837 et écrivit une bonne part de *La Comédie humaine*. Je me souviens que dans l'un de ces hôtels vivait un bon second rôle du cinéma français des années 1950, Bernard Lajarrige – il joue un agent de police dans *La Traversée de Paris* –, dont la fille était d'une beauté troublante pour la bande d'adolescents dont je faisais partie.

De la rue Cassini, un court zigzag par le faubourg Saint-Jacques mène à la rue Méchain où se trouvait alors l'imprimerie Union, au numéro 13. J'y accompagnais souvent mon père quand il allait suivre l'impression des classiques qu'il publia jusque vers 1950 avant de passer à l'édition d'art. C'était un spectacle que de voir travailler les ouvriers typographes. Ils saisissaient à la pince les caractères de plomb rangés dans la casse et composaient les lignes à une vitesse étonnante. La casse était une boîte de bois ouverte qui comportait une série de cases, une par caractère. Inclinée à 45°, elle contenait en haut les majuscules (que l'on appelle toujours, dans le métier, les capitales, car elles étaient en tête de la casse) et en bas les minuscules ou « bas de casse », terme qui reste lui aussi utilisé à l'époque de la composition sur ordinateur. Pour changer de caractère, pour passer du Garamont au Didot, on changeait de casse.

L'imprimerie Union, c'était toute une histoire. Fondée en 1910 par deux émigrés russes, Chalit et Snégaroff, elle travaillait alors pour la très active communauté russe de Paris et, dit-on, pour Plekhanov et Lénine. Elle s'était ensuite orientée vers l'impression des livres et publications du mouvement moderne : Apollinaire y fit composer les premiers *Calligrammes*, Léonce Rosenberg le *Bulletin de L'Effort moderne*, les surréalistes *Le Surréalisme au service de la révolution* et la revue *Minotaure*, Jacques Schiffrin y faisait imprimer la Pléiade. Après la guerre, Aimé Maeght et beaucoup de grandes galeries parisiennes confiaient à l'imprimerie Union leurs livres et leurs revues.

J'aimais bien Chalit et Snégaroff, leur courtoisie, leur accent russe, leur accueil. Ces deux personnages d'un autre temps, après s'être assurés le matin que tout allait bien rue Méchain, passaient – d'après mon père – le reste de leurs journées à jouer aux échecs à Montparnasse. L'imprimerie Union a cessé ses activités dans les années 1990, moment où l'essentiel de l'imprimerie parisienne a émigré en banlieue. L'une des dernières à représenter la grande époque, l'imprimerie Jacques London (émigré juif russe lui aussi), sise rue de la Grange-Batelière, qui imprimait les couvertures de La Fabrique, vient tout juste de fermer ses portes.

Depuis la rue Cassini, l'avenue de l'Observatoire suit comme il se doit le méridien de Paris. Sur le côté gauche, une plaque rappelle que Jean Cavaillès fut arrêté là, puis fusillé en février 1944. Georges Canguilhem, grand résistant lui aussi, a écrit un court texte où il raconte comment ce philosophe des mathématiques, cet ami fonda le mouvement « Libération-Sud » avec d'Astier de La Vigerie, puis le réseau militaire « Cahors »[11]. « Imaginez un de vos jeunes professeurs – Canguilhem s'adresse à des étudiants – s'introduisant, revêtu d'un bleu de chauffe, dans la base de sous-marins que la Kriegsmarine a coulée dans le béton à Lorient. Pensez-vous que derrière le masque de simplicité d'un ouvrier attentif, Carrière, c'est-à-dire Cavaillès, puisse ne pas penser qu'il joue sa vie ? […] Tel était l'homme que des étudiants comme vous pourraient aujourd'hui avoir pour maître, et qu'ils n'ont pas parce qu'il était tel que j'ai tenté de vous le peindre. »

En face de cette plaque noire, le côté droit de l'avenue de l'Observatoire était autrefois bordé par un long mur qui cachait les bâtiments de la maternité de Port-Royal. Pendant des années, j'y déchiffrais une inscription à la peinture noire : « Combattre pour Défense de la France, c'est combattre pour la libération » (*Défense de la France* était un mouvement de résistance mais surtout un journal, le plus fort tirage de la presse clandestine, qui deviendra *France-Soir* en 1944.) Aujourd'hui, l'angle tronqué formé par l'avenue de l'Observatoire, le début de la rue Henri-Barbusse et le boulevard Port-Royal est occupé par l'extension de la maternité, œuvre des mêmes architectes que la canopée des Halles, Patrick Berger et Jacques Anziutti : répétition monotone des verticales, allèges en faux marbre, huisseries jaunâtres, détails bâclés. Ceux qui construisent aujourd'hui des bâtiments hospitaliers ont souvent des merveilles devant eux ou pas très loin : les architectes du nouveau Saint-Louis pouvaient contempler tous les matins les ailes datant d'Henri IV ; ceux qui ont dessiné l'extension de l'hôpital Cochin travaillaient face aux alignements du Val-de-Grâce édifiés du temps d'Anne d'Autriche ; ici, à Port-Royal, les architectes étaient à quelques mètres des bâtiments de l'abbaye et du cloître… Je ne veux pas dire qu'il aurait fallu donner dans le pastiche ou l'éclectisme mais c'était un défi à relever, une source possible d'inspiration comme le furent Vélasquez pour Manet ou Saint-Simon pour Proust. On peut toujours rêver.

La maternité est au bord du grand carrefour de l'Observatoire. En le traversant, je pense à la fin de *Ferragus*, où le chef des Dévorants, autrefois redoutable, est un vieillard brisé à qui les joueurs de boules empruntent sa canne pour mesurer les coups. Entre la grille sud du Luxembourg et la grille nord de l'Observatoire, écrit Balzac, c'est « un espace sans genre, espace neutre dans Paris. En effet, là, Paris n'est plus ; et là, Paris est encore. Ce lieu tient à la fois de la place, de la rue, du boulevard, de la fortification, du jardin, de l'avenue, de la route, de la province, de la capitale ; certes, il y a de tout cela ; mais ce n'est rien de tout cela : c'est un désert. Autour de ce lieu sans nom, s'élèvent les Enfants-Trouvés, la Bourbe [la maternité], l'hôpital Cochin, les Capucins, l'hospice de La Rochefoucauld, les Sourds-Muets, l'hôpital du Val-de-Grâce ; enfin, tous les vices et tous les malheurs de Paris ont là leur asile ; et pour que rien ne manquât à cette enceinte philanthropique, la Science y étudie les Marées et les Longitudes ; monsieur de Chateaubriand y a mis l'infirmerie Marie-Thérèse, et les Carmélites y ont fondé un couvent. Les grandes situations de la vie sont représentées par les cloches qui sonnent incessamment dans ce désert, et pour la mère qui accouche, et pour l'enfant qui naît, et pour le vice qui succombe, et pour l'ouvrier qui meurt, et pour la vierge qui prie, et pour le vieillard qui a froid, et pour le génie qui se trompe. Puis, à deux pas, est le cimetière du Mont-Parnasse, qui attire d'heure en heure les chétifs convois du faubourg Saint-Marceau ». Sur le terre-plein entre la rue d'Assas et la rue Notre-Dame-des-Champs, qui n'est pas asphalté, certains de mes amis jouaient encore aux boules il y a une vingtaine d'années. À la réflexion, les lieux énumérés par Balzac sont encore là même si les noms ont changé, comme si la science, l'église et l'hôpital avaient une vertu de conservation – vertu qui s'étend d'ailleurs aux environs : le boulevard de Port-Royal est resté le même qu'au temps où ma mère allait y faire son marché, et le boulevard Montparnasse* a gardé jusqu'au carrefour Raspail ses trottoirs calmes et ses boutiques provinciales.

Le boulevard Saint-Michel et la rue d'Assas limitent un grand angle ouvert sur les marronniers des allées de l'Observatoire qui s'étendent à perte de vue jusqu'aux grilles du Luxembourg. Du côté de Saint-Michel s'alignent la gare de la ligne de Sceaux et ses jolies ferronneries, le Beauvoir Hôtel dont le néon se détache sur une célèbre photo nocturne de Brassaï, le bâtiment du CROUS construit dans les années 1960 sur le terrain d'un petit stade où nous allions courir quand j'étais à Montaigne ; du côté d'Assas, c'est La Closerie des Lilas dont les grands moments datent d'avant la guerre et même d'avant la Première Guerre mondiale, mais dont la terrasse reste fréquentable aux heures creuses.

Deux des angles sont marqués par des sculptures célèbres. Devant La Closerie, le maréchal Ney brandit son sabre, près de là où il fut fusillé en 1815. L'auteur de cette effigie héroïque, François Rude, fut d'abord bona-

---

* Je suis l'usage courant en écrivant « boulevard Montparnasse » et non « du Montparnasse », « Magenta » et non « de Magenta », etc.

partiste puis républicain quand il sculpta le gisant de Godefroy Cavaignac au cimetière Montmartre (« Notre Godefroy », à ne pas confondre avec son frère Louis Eugène, le général, boucher des insurgés de juin 1848). Du côté du Luxembourg, c'est une fontaine qui marque l'entrée dans les allées de l'Observatoire : les Quatre Parties du Monde, gracieuses figures tournoyantes portant au-dessus d'elles la sphère céleste. Carpeaux a créé ce groupe juste avant sa mort et c'est Frémiet qui a sculpté les chevaux et les tortues de bronze qui lancent leurs jets d'eau vers le motif central. Cette agréable halte à l'ombre des marronniers n'est pas une exception : c'est bien dans des jardins que l'on trouve les belles fontaines parisiennes, comme la fontaine Médicis au Luxembourg, l'élégante fontaine des Quatre-Fleuves dessinée par Visconti pour le square Louvois devant la Bibliothèque nationale, ou encore la fontaine aux Lions qui se trouve aujourd'hui à l'entrée des jardins de la Villette. Sur le pavé des rues et des places au contraire, en dehors du chef-d'œuvre de Tinguely et Niki de Saint Phalle sur le plateau Beaubourg, je ne vois rien qui vaille. Il y a bien des places qui auraient pu accueillir une fontaine – places des Vosges, des Victoires, place Vendôme – mais l'on a préféré y installer un roi à cheval ou un empereur sur une colonne. Et les fontaines modernes, de la place de la Sorbonne à la place Gambetta en passant par la place Saint-Germain-des-Prés, sont plus ridicules les unes que les autres.

Par la courte rue du Val-de-Grâce, je parviens devant la façade de la grande église de ce nom. Anne d'Autriche avait confié sa construction à Mansart, mais l'homme n'était pas commode et modifiait ses plans en cours de route, ce qui causait des retards et des dépassements de budget, comme nous dirions. Claude Perrault disait qu'« il lui venait toujours en travaillant de plus belles idées que celles où il s'était arrêté tout d'abord et souvent il a fait faire jusque deux ou trois fois les mêmes morceaux », si bien que le chantier était à peine entamé qu'il fut retiré à Mansart et confié à des architectes qui ne le valaient pas, d'abord Lemercier, puis Le Muet. (C'est l'un des attraits du XVIIᵉ siècle français que la présence de ces personnages à la nuque raide, François Mansart, Blaise Pascal, Nicolas Poussin.) Si l'église du Val-de-Grâce a un tambour et un dôme mal proportionnés – comme le Panthéon de Soufflot du reste –, c'est sans doute lié aux modifications faites au plan de Mansart. Et il me semble que Balzac exagère quelque peu en évoquant au début du *Père Goriot* « ce silence qui règne dans ces rues serrées entre le dôme du Val-de-Grâce et le dôme du Panthéon, deux monuments qui changent les conditions de l'atmosphère en y jetant des tons jaunes, en y assombrissant tout par les teintes sévères que projettent leurs coupoles ».

De la place semi-circulaire devant la grille du Val-de-Grâce, j'aperçois, plus bas dans la rue Saint-Jacques, le clocher carré d'une autre église, Saint-Jacques-du-Haut-Pas. Les deux édifices sont voisins et presque contemporains et pourtant tout les oppose. L'un est gras et l'autre maigre, l'un orné et riche et l'autre pauvre et nu, l'un construit selon les règles et l'autre selon le goût des maçons, même si Gittard, l'architecte de Saint-Sulpice, en contrôla les travaux et dessina sa façade. Si le Val-de-Grâce est une église jésuite – au sens où elle est construite sur le plan du Gesù à Rome –, Saint-Jacques-du-Haut-Pas est un temple janséniste. L'église est d'ailleurs liée à l'histoire du jansénisme : la première pierre avait été posée par la duchesse de Longueville, sœur du Grand Condé et illustre protectrice de Port-

Royal. Les pèlerins jansénistes venaient se recueillir devant la tombe de Duvergier de Hauranne, abbé de Saint-Cyran, ami de Jansen, directeur de conscience des religieuses de Port-Royal, qui passa cinq années en prison et n'en sortit qu'à la mort de Richelieu.

Juste avant d'arriver à Saint-Jacques-du-Haut-Pas, la rue des Ursulines s'ouvre à droite dans la rue Saint-Jacques. Elle a pour ornement une jolie salle qui fut un centre d'art et d'essai durant l'âge d'or du cinéma à Paris autour de 1960, le studio des Ursulines où j'ai pu voir les premiers films de Jean Rouch, *Moi un Noir*, *Chroniques d'un été*. À cette époque, les salles d'art et d'essai se trouvaient presque toutes sur la rive gauche. Au Quartier latin, outre le minuscule Champo (les autres salles de la rue Champollion étaient encore des théâtres), on trouvait plus haut, rue Victor-Cousin, le cinéma du Panthéon qui existe toujours, vaillamment indépendant, et où par un matin de 1963 j'ai vu en avant-première l'inoubliable *Joli Mai* de Chris Marker. Sur la place Saint-Sulpice, entre la mairie et la rue du Vieux-Colombier, il y avait une salle dont j'ai oublié le nom (le Bonaparte ?). À Montparnasse, on trouvait deux cinémas presque voisins : le studio Raspail dans un bel immeuble du mouvement moderne et, dans la petite rue Jules-Chaplain, le studio Parnasse, qui existe toujours mais sous le label MK2 Parnasse. Là, tous les jeudis après la dernière séance, le patron posait des questions impossibles sur l'histoire du cinéma et le premier à donner la bonne réponse gagnait une entrée gratuite (il paraît que, quand Truffaut était là, il les raflait toutes). Un peu plus loin, le studio Bertrand, dans la rue homonyme, mettait un peu d'animation dans le triste quartier Duroc.

Sur la rive droite, les cinémas d'art et d'essai n'étaient, sauf erreur, que deux : le Mac-Mahon, point de ralliement de la Nouvelle Vague, et le Studio 28 à Montmartre, rue Tholozé, célèbre pour le scandale survenu lors de la projection de *L'Âge d'or* de Buñuel – en 1930, les ligues d'extrême droite avaient attaqué le cinéma aux cris de « Mort aux juifs » (Marie-Laure de Noailles, femme du commanditaire du film, était juive).

C'est dans ces salles que ma génération a fait connaissance avec le cinéma américain des années 1930-1940 – Howard Hawks, John Huston, Frank Capra, Ernst Lubitsch – mais aussi avec les classiques allemands et soviétiques, les Italiens d'après guerre, et parfois des réalisateurs français, Jean Grémillon, Jean Renoir ou Jean Vigo. Depuis lors, la concentration dans la distribution et la prolifération des multisalles ont entraîné la fermeture de beaucoup de ces cinémas indépendants dirigés par des cinéphiles cultivés.

Cette dernière phrase peut se lire comme un symptôme : les années passant, la tendance naturelle est de trouver que tout était mieux autrefois, c'est-à-dire nous étions jeunes. Ce penchant à devenir un vieux ronchon nostalgique, je ne prétends pas en être totalement exempt mais il n'est pas seul responsable de ma distanciation – pour dire le moins – vis-à-vis de la rive gauche actuelle. Car c'est une objective décadence qui a frappé le cœur même de cette rive, entre le Jardin des plantes et la rue du Bac, entre le boulevard Montparnasse et la Seine. Elle a pour toile de fond *un transfert de population*. Quand j'habitais rue de la Montagne-Sainte-Geneviève à la fin des années 1950, des ouvriers vivaient dans le quartier, certes souvent au dernier étage dans de petites chambres avec les toilettes sur le palier, mais ils étaient là. Des travailleurs algériens logeaient dans des hôtels à la semaine ou au mois entre Maubert et la Seine, rue

Maître-Albert, rue Frédéric-Sauton, rue de Bièvre. Des clochards colonisaient la place de la Contrescarpe et la rue Mouffetard. (Ceux qui ne me croient pas peuvent lire l'excellent *Paris insolite* de Jean-Paul Clébert, paru en 1952 chez Denoël.) Quand mon père avait sa maison d'édition rue de Seine, on rencontrait dans les cafés du quartier autant de vêtements de travail que de vestes de tweed. Puis, à partir de 1960, la grande opération de réno-vation lancée par Malraux et poursuivie par Pompidou a fait monter les loyers à des niveaux tels que le prolétariat a été chassé du centre de la rive gauche, en attendant d'être poussé hors de Paris. (On dira que la rive droite a subi le même sort, mais non : elle est deux fois plus grande et plus peuplée, avec des poches de résistance populaire dont la réduction est lente et difficile.)

Pendant ce bouleversement sociologique qui s'est étalé sur des années, des événements se sont succédé qui ont eu pour effet de vouer la rive gauche au fétichisme de la marchandise. Avant Mai 68, le Quartier latin méritait pleinement son nom. Tous les étudiants de Paris étaient concentrés là, à la Sorbonne, à la faculté de droit sur la place du Panthéon, dans les deux facultés de médecine, dans celle de pharmacie – avec en outre les grandes écoles encadrant la montagne Sainte-Geneviève, les Mines, Nor-male supérieure, Polytechnique, et les Beaux-Arts sur le quai Malaquais. Toute cette jeunesse animait le quartier, lui donnait une gaîté et une beauté sensibles aussi bien dans les amphis que dans les cafés, les bibliothèques et les jardins. Après Mai, des mesures furent prises pour empê-cher la récidive d'événements aussi fâcheux. D'abord, les rues furent asphaltées, donc difficiles à dépaver. Puis les étudiants furent dispersés dans de nouvelles facultés construites loin du centre et d'accès aisément contrôlable.

Certes, c'était nécessaire, il y avait congestion, mais l'on pouvait s'y prendre autrement.

Une autre péripétie, plus tardive, fut le démantèlement de la place forte de l'édition qu'était le VI⁰ arrondissement. Souvenons-nous : Hachette dans son gros bloc à l'angle du boulevard Saint-Germain et du boulevard Saint-Michel, Flammarion rue Racine, Robert Laffont place Saint-Sulpice, Larousse boulevard Raspail, Le Seuil rue Jacob, Hazan rue de Seine, Nathan rue Monsieur-le-Prince – la liste pourrait être bien plus longue. Mais du fait de la concentration capitaliste de l'édition, du remplacement des éditeurs par des financiers préoccupés du retour sur investissements, beaucoup de grandes maisons ont abandonné leur siège historique et émigré dans des immeubles en verre et métal près du périphérique. Certes, plusieurs éditeurs importants – Gallimard, Minuit, Fayard, Bourgois entre autres – sont restés dans le quartier mais ils sont là comme les vestiges d'une splendeur passée.

Quelques années auparavant, l'art contemporain avait délaissé la rive gauche. Vers 1960, à l'époque des Nouveaux Réalistes, les galeries étaient concentrées dans un quadrilatère limité par la rue Guénégaud, la rue Bonaparte, le boulevard Saint-Germain et la Seine. Sur la rive droite, on ne trouvait guère que des galeries d'art ancien. Or, vers les années 1990, pour des raisons tenant sans doute aux loyers, l'art contemporain a émigré en masse vers le quartier de la Bastille puis vers le Marais. Il reste aujourd'hui quelques bonnes galeries sur la rive gauche et plusieurs excellents marchands de mobilier des années 1930 et d'art africain, mais encore une fois « ce n'est plus pareil ».

D'autant que la librairie, autre activité traditionnelle du lieu, est elle aussi en repli. Beaucoup de petits libraires ont fermé mais surtout quatre établissements ont disparu qui faisaient figure d'institutions et presque de symboles du quartier : La Joie de lire de François Maspero, rue Saint-Séverin, qui fut l'université politique de toute une génération ; Les Presses universitaires de France, place de la Sorbonne, grande et belle librairie académique ; plus récemment la librairie du Moniteur, place de l'Odéon, irremplaçable pour l'architecture ; et dernièrement La Hune, à l'angle de la place Saint-Germain-des-Prés et de la rue Bonaparte. Pendant mes années de lycée, ce lieu qui s'appelait Le Divan était tenu par un auteur-éditeur-libraire à l'ancienne, Henri Martineau, le grand spécialiste de Stendhal à cette époque. Au gamin que j'étais, il voulut bien dédicacer des exemplaires d'*Henry Brulard* et des *Souvenirs d'égotisme*, éditions typographiquement et philologiquement admirables. Cet angle est revenu au luxe, comme l'ancien siège de La Hune sur le boulevard Saint-Germain qui est aujourd'hui une boutique Vuitton, porte-drapeau de la vulgarité bourgeoise.

Ces diverses mutations ont eu des effets convergents : la « vie intellectuelle » a disparu sur la rive gauche. Certes, sous ce mauvais terme on trouvait beaucoup de snobisme et d'esprit de caste, mais il flottait pourtant dans ces rues quelque chose de l'esprit de Sartre, de Giacometti, de Perec, de Genet et de Mastroianni, fidèle client du Balto, à l'angle des rues Mazarine et Guénégaud. Le luxe et la fringue ont fait fuir leurs fantômes *et tous les Parisiens de cœur en ont gémi*, comme dit Louis-Sébastien Mercier à propos de je ne sais plus quelle destruction à la Chaussée-d'Antin.

Retour rue Saint-Jacques après cette longue parenthèse ouverte rue des Ursulines. En me glissant entre Saint-Jacques-du-Haut-Pas et l'Institut des sourds-muets, j'entre dans la rue de l'Abbé-de-l'Épée (bon abbé, fondateur de cet institut). Elle est bordée à gauche par le long mur qui clôt le jardin de l'institut et à droite par des immeubles cossus dont l'un, au numéro 14, daté de 1909, est timidement marqué d'Art nouveau par les feuillages sculptés, les courbes des balcons et les volutes de la ferronnerie à l'entrée. Je suis né là en juillet 1936 et j'y ai grandi pendant quatre ans. De cet appartement, j'ai un souvenir, le plus ancien qui me revienne : un ami de mes parents, en uniforme, venant m'embrasser dans mon lit – c'était sans doute à l'automne 1939. Puis, en juin 1940, la famille s'est entassée dans une 11 CV Citroën noire comme on en voit dans tous les films sur l'époque et a pris la route de Marseille.

À l'angle de la rue de l'Abbé-de-l'Épée et du boulevard Saint-Michel, une femme nue allongée rend un étrange hommage de pierre aux deux pharmaciens qui découvrirent les vertus thérapeutiques de la quinine, Pelletier et Caventou. En marchant en face de la longue façade de l'École des mines, je parviens à l'angle de la rue Royer-Collard. Des années 1960 jusque vers 1985, ce lieu était non seulement le terminus de l'autobus 85

qui mène jusqu'à la mairie de Saint-Ouen par un trajet
sinueux et magnifique, mais aussi le siège d'une librairie
qui s'appelait « Autrement dit ». D'abord tenue par des
Italiens, elle était passée dans le giron des Éditions de
Minuit. Au printemps 1984, les Éditions Hazan dont
je venais de prendre la direction publièrent le premier
livre de l'ère nouvelle, un *Duchamp*, dont le texte était
de Jean-Christophe Bailly et le graphisme de Roman
Cieslewicz. C'est tout naturellement que nous avions
choisi « Autrement dit » pour la soirée de lancement,
inoubliable première d'une longue série de « rencontres
en librairie », comme on dit, qui sont l'un des charmes
du métier, le seul moment où l'éditeur rencontre cet
être multiple et mystérieux, le lecteur. Un peu plus tard,
quand les Éditions de Minuit gagnèrent le Goncourt avec
L'Amant de Duras, Jérôme Lindon le sage, le Nestor de
l'édition, acheta avec l'argent du million d'exemplaires
vendus les locaux de Larousse face à la Sorbonne et y
fonda la belle librairie Compagnie. « Autrement dit »
fut alors fermé et l'angle est aujourd'hui occupé par
une agence du Crédit lyonnais.

3

Longtemps j'ai fait un détour pour éviter le jardin du Luxembourg, trop marqué du souvenir des dimanches après-midi où l'on m'y envoyait pour « prendre l'air » – ma mère avait les idées hygiénistes de son temps. Une fois guéri, j'ai appris à aimer ce jardin dans ses deux parties, séparées par une ligne virtuelle qui suit le méridien de Paris, passe par le jet d'eau du bassin central et par l'horloge du Sénat. À l'est, du côté Saint-Michel, c'est le Luxembourg de la jeunesse, des lycéens et des étudiant(e)s, des jeunes étrangers en goguette, des sandwichs sur les bancs et des jambes qui bronzent au premier soleil du printemps. À l'ouest, du côté Montparnasse, autour des tennis, de l'aire de jeux pour enfants et du pavillon d'apiculture, c'est un Luxembourg plus tranquille, moins peuplé : bourgeois de la rue Guynemer, nounous de couleur promenant des enfants blonds, psychanalystes et diplomates étrangers. De ce côté-là, dans une allée d'immenses platanes, entouré d'eau, le monument à Delacroix par Dalou montre comment, partant d'un programme convenu (des allégories autour d'un socle portant un buste), la contrainte peut susciter un chef-d'œuvre.

C'est dans une allée déserte du Luxembourg que Marius rencontre Cosette et Jean Valjean pour la première fois, « un homme et une toute jeune fille presque toujours assis côte à côte sur le même banc, à l'extrémité la plus solitaire de l'allée, du côté de la rue de l'Ouest [d'Assas] ». Une rencontre aussi, chez Nerval, dans l'*Odelette* intitulée « Une allée du Luxembourg » :

> Elle a passé, la jeune fille
> Vive et preste comme un oiseau :
> À la main une fleur qui brille,
> À la bouche un refrain nouveau.

Verlaine, Cendrars, Rilke, Léautaud, Sartre, Faulkner, Echenoz... peu de lieux parisiens ont inspiré autant de poètes et d'écrivains, de cinéastes aussi – Jean-Luc Godard dans le joyeux *Tous les garçons s'appellent Patrick* ou Louis Malle dans le plus sombre *Feu follet*.

Au sortir du Luxembourg, je longe l'arrière du théâtre de l'Odéon. Il me semble qu'il y avait encore des libraires sous les arcades dans les années d'après guerre, mais rien de comparable au temps où elles étaient fréquentées par Courteline, Marcel Schwob, Catulle Mendès ou Barrès qui traînaient là pour savoir comment se vendaient leurs livres comme le raconte Léon Daudet dans *Paris vécu*[12].

L'angle de la rue de Condé avec la rue de Tournon est amputé de son sommet, ce qui crée un vide mal comblé par un jardinet et un kiosque à journaux. Là se trouvait autrefois un établissement célèbre, le restaurant Foyot que les sénateurs fréquentaient en voisins. En 1893, à l'époque de la « propagande par le fait », une bombe anarchiste le fit sauter – ce ne fut pas un succès car non seulement aucun sénateur n'était présent mais un sympathisant de la cause, Laurent Tailhade, qui dînait là par hasard, y perdit un œil. Certains pensent que le poseur de la bombe fut Félix Fénéon lui-même, le meilleur critique de son temps (Mallarmé *dixit*), plus tard secrétaire de rédaction de *La Revue blanche*. C'est loin d'être sûr, mais il figurait en tout cas en août 1894 sur le banc des accusés dans le fameux procès des Trente : on avait trouvé des détonateurs dans le bureau du ministère de la Guerre où il était commis principal. Le chef d'inculpation était « association de malfaiteurs », mais les *lois scélérates* de 1893, si elles réprimaient l'apologie du terrorisme, n'avaient pas prévu de cours d'assises antiterroristes et le jury populaire prononça un acquittement général.

La rue de Tournon est pour moi l'une des plus belles de Paris, par les bâtiments qui la bordent mais surtout par son évasement, cette façon dont ses deux rives divergent depuis la rue Saint-Sulpice pour encadrer le pavillon central du palais du Luxembourg en un superbe dispositif scénographique. Rien de cela n'est le fait du hasard : quand le comte de Provence, frère de Louis XVI et futur Louis XVIII, eut loti ce terrain qui lui appartenait, ceux qui dessinèrent le quartier dans les années 1780 étaient des praticiens attentifs. À preuve les deux triangles opposés, celui qui a sa pointe au théâtre de l'Odéon et ses côtés rue Crébillon et rue Casimir-Delavigne, et celui dont la pointe est au carrefour de l'Odéon et les côtés rue Monsieur-le-Prince et rue de Condé. Ces triangles ont pour médiane commune la rue de l'Odéon, la première de Paris à avoir été bordée de trottoirs. L'ensemble est tracé avec une asymétrie souple qui tempère la rigueur et rend la marche légère.

Pour le palais du Luxembourg, la Florentine Marie de Médicis voulait un bâtiment inspiré du palazzo Pitti. Elle en confia l'exécution à Salomon de Brosse qui, en bon protestant, n'en fit qu'à sa tête. Tout en reprenant des détails formels du palais florentin – les bossages, les colonnes toscanes annelées – il construisit un château à la française. Le pavillon central est d'une grâce qui tient pour une bonne part à ses imperfections, aux hésitations que l'on perçoit dans les détails, aux transgressions des règles. Comme la gaucherie des adolescentes peut être plus touchante que la beauté épanouie, la gaucherie architecturale a souvent plus d'attraits que les bâtiments classiques. L'époque où le Luxembourg fut construit, vers 1610, est une période architecturalement incertaine où le gothique n'en finit pas de disparaître à Paris (Saint-Eustache, église gothique, est terminée sous Louis XIII), où la Renaissance est restée discrète et où le baroque ne parvient pas à s'implanter. D'où ces architectures imparfaites et charmantes que sont la façade de Saint-Gervais du même Salomon de Brosse ou le dôme de Saint-Paul vu du côté de la rue Charlemagne.

Rue de Tournon, les plaques sont nombreuses à rappeler le souvenir d'illustres résidents. Au-dessus du café Tournon, l'une d'elles évoque les dernières années vécues là par Joseph Roth qui y noya dans l'alcool son chagrin d'exilé. Les deux côtés de la rue sont symétriques de tracé mais de physionomie différente. À droite en descendant, c'est un ensemble homogène d'immeubles de la fin du XVIIIe siècle et du début du XIXe, où la plupart des boutiques sont consacrées à l'habillement de luxe. Le côté gauche est une suite de nobles hôtels néoclassiques. L'un d'eux, au numéro 10, a été transformé en une caserne qui fut l'un des principaux abattoirs de prisonniers pendant les journées de juin 1848. Leibniz avait logé dans les communs de cet hôtel lors de son séjour à Paris dans les années 1670, quand il inventa le calcul infinitésimal.

Un crochet par la rue Saint-Sulpice conduit au début de la rue de l'Odéon où rien, aucune plaque, aucun souvenir, ne rappelle que ces quelques mètres furent un grand centre de la littérature mondiale pendant l'entre-deux-guerres. Au numéro 7, Adrienne Monnier ouvrit en 1915 une bibliothèque de prêt à l'enseigne de La Maison des Amis des Livres. Presque en face, au numéro 12, Sylvia Beach, sa compagne, fonda en 1921 une librairie sur le même principe, Shakespeare and Company[13]. La liste de celles et ceux qui fréquentèrent ces boutiques enchantées est trop longue pour être ici déroulée. Citons seulement pour le côté impair André Gide et Paul Valéry, Henri Michaux, Aragon, Michel Leiris, Valery Larbaud, Léon-Paul Fargue, Saint-John Perse, Walter Benjamin, Italo Svevo… De l'autre côté, chez Sylvia Beach, on croisait Gertrude Stein, Francis Scott Fitzgerald, Ernest Hemingway, Djuna Barnes, Ezra Pound et James Joyce dont Sylvia publia *Ulysses* en 1922, alors que le livre était condamné par la censure aux États-Unis, en Grande-Bretagne et en Irlande. Entre ces deux rives flotte le souvenir d'une aventure sans équivalent dans l'histoire de la littérature, et tous les amis des livres devraient se fendre d'un petit salut mental en passant par là.

Pour retrouver le Paris de la Révolution dans la ville d'aujourd'hui, il faut beaucoup d'imagination. Les lieux les plus célèbres ont été détruits, les noms les plus glorieux manquent pour la plupart dans la mémoire des rues. Ainsi le bruyant carrefour de l'Odéon actuel n'offre-t-il que peu de vestiges pour rappeler ce qu'il fut, le principal centre de la Révolution sur la rive gauche.

La topographie a beaucoup changé avec le perce-ment du boulevard Saint-Germain. À l'époque, une voie étroite, la rue des Boucheries, suivait à peu près le tracé du boulevard actuel puis se continuait directement par la rue de l'École-de-Médecine. La cour du Commerce, aujourd'hui amputée par le boulevard, était beaucoup plus longue, s'étendant depuis la rue Saint-André-des-Arts jusqu'à la rue de l'École-de-Médecine.

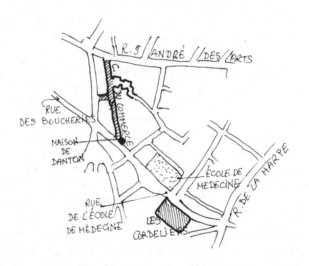

De même que sur la rive droite la Société des amis de la Constitution, installée dans le couvent des Jacobins, avait pris le nom de club des Jacobins, de même la Société des amis des droits de l'homme et du citoyen devint le club des Cordeliers, une fois installée dans le couvent de cet ordre, presque en face de la colonnade de l'École de médecine. Mais la symétrie s'arrête là. Aux Cordeliers, le recrutement, le public, le fonctionnement étaient plus populaires qu'aux Jacobins. Le droit d'entrée était symbolique, on admettait qui voulait, les femmes pouvaient prendre la parole, les principaux orateurs n'étaient pas des avocats ni des gens de loi mais des hommes du peuple venant du théâtre (Hébert), de l'imprimerie (Momoro), de l'hôpital (Chaumette). Danton venait souvent aux Cordeliers, mais le héros du club était Marat. Après son assassinat, son cœur placé dans une urne fut suspendu au plafond de la salle des séances au cours d'une cérémonie solennelle.

Les Cordeliers sont assez mal considérés par les historiens, toutes tendances confondues : braillards vulgaires, sans vision politique claire, toujours prêts à des insurrections intempestives. Ils furent pourtant les premiers à demander la déchéance du roi après la fuite à Varennes, à organiser la révolution du 10 août 1792 qui mit fin à la royauté, à lancer la grande campagne de déchristianisation à l'automne de l'an II qui vit fermer au culte toutes les églises parisiennes. C'est là que venaient discourir et débattre les sans-culottes des faubourgs et des quartiers populaires. Le seul à leur rendre justice est Gustave Tridon, bras droit de Blanqui : « Salut, Hébert et Pache, purs et nobles citoyens ; Chaumette, que le peuple aimait comme un père ; Momoro, plume ardente, généreux esprit ; Ronsin, général intrépide ; et toi, douce et mélancolique figure par qui le panthéisme allemand donna la main au naturalisme français, Anacharsis Cloots ! L'orgueil et l'ambition, cachés sous d'hypocrites formules, ont sacrifié ces hommes, et la Révolution a péri avec eux[14]. »

La cour du Commerce fut elle aussi un lieu important de l'époque révolutionnaire, mais aujourd'hui les mangeoires y sont si densément concentrées qu'elles inhibent l'imagination. Ce n'était pas encore le cas dans les années 1980 quand j'ai commencé l'édition : le comptoir du Seuil était au numéro 4 (le comptoir d'un éditeur est le local où les coursiers viennent tous les matins chercher des livres pour les libraires). Dans ce local, une bonne place était occupée par la masse d'une tour de l'enceinte de Philippe Auguste, aujourd'hui noyée dans une immense pâtisserie-chocolaterie occupant les numéros 4, 6 et le 8 où Marat, après avoir erré dans Paris avec son imprimerie, s'installa en 1793. En face, au numéro 9, le docteur Guillotin mit au point sa célèbre machine dans l'atelier d'un charpentier et l'expérimenta, dit-on, sur des moutons.

Danton habitait dans un vaste logement au numéro 20 de la cour du Commerce, dans la partie que le boulevard Saint-Germain a effacée. Il logeait donc à l'endroit où il a aujourd'hui sa statue, ce qui n'est pas donné à tout le monde. Comment se fait-il qu'il ait un monument, une rue, des cafés portant son nom alors que Robespierre n'a rien qui évoque sa mémoire dans Paris ? Après tout, c'est Danton qui a fait instituer le tribunal révolutionnaire, c'est lui qui disait : « Ils veulent nous terroriser, soyons terribles ! » Mais au début de la IIIᵉ République, ce fut lui que les radicaux choisirent comme figure emblématique, sans doute plus présentable à leurs yeux que Robespierre.

Dans la cour du Commerce s'ouvre la cour de Rohan, enfilade de trois courettes calmes et aristocratiques où vigne vierge et rosiers grimpants tapissent les bâtiments du XVIIe siècle. Dans ce havre protégé par l'argent, on ne croise personne hormis parfois quelques lycéens de Fénelon avec leurs sandwichs.

Par la rue du Jardinet et la rue Serpente, j'entre dans l'une des plus anciennes rues de la rive gauche, la rue Hautefeuille, où naquit Baudelaire et où Courbet avait son atelier. À l'angle d'un petit cul-de-sac, une tourelle suspendue qui date du XVIe siècle orne l'hôtel des abbés de Fécamp. Sa trompe conique est faite d'une série d'entrelacs de diamètre décroissant qui portent chacun un ornement différent, un tour de force de tailleur de pierre. Il ne reste pas beaucoup de tourelles suspendues (ou échauguettes) dans Paris. Sur la rive gauche, on en trouve une autre dans la même rue Hautefeuille sur un bel hôtel entre la rue Pierre-Sarrazin et la rue de l'École-de-Médecine. Sur la rive droite, toutes, sauf erreur, sont dans le Marais : l'une, carrée, presque rustique, à l'angle de la rue Sainte-Croix-de-la-Bretonnerie et de la rue du Temple ; une autre à l'angle de la rue Saint-Paul et de la rue des Lions-Saint-Paul (il y avait des lions dans la grande ménagerie de l'hôtel Saint-Pol, résidence royale sous les Valois) ; la tourelle gothique flamboyant de l'hôtel Hérouet, à l'angle des rues Vieille-du-Temple et des Francs-Bourgeois ; les tourelles encadrant la porte de l'hôtel de Clisson, rue des Archives, et celle de l'hôtel de Sens, rue du Figuier ; enfin, au coin de la rue Pavée et de la rue des Francs-Bourgeois, celle qui orne l'angle de l'hôtel Lamoignon, l'un des rares bâtiments Renaissance à Paris. Ce sont des amies, certaines sur des trajets habituels, d'autres qu'il m'arrive d'aller saluer par un petit détour. À chacun ses ponctuations dans la ville.

Place Saint-André-des-Arts, le plus remarquable n'est pas le plus évident. Le numéro 1 de la rue Danton pourrait passer pour l'un de ces immeubles Art nouveau *soft* comme il y en a tant dans Paris. Il s'agit pourtant d'une construction exceptionnellement novatrice – elle servait d'ailleurs de *show building* à son constructeur, François Hennebique. Au premier coup d'œil, on dirait un immeuble de pierre alors qu'il est construit entièrement en béton, y compris les sculptures et l'ensemble des modénatures. Vers 1900, l'entreprise Hennebique construisait dans le monde entier des bâtiments légers et élégants, tous en béton armé.

De jour comme de nuit, l'ensemble formé par la place Saint-André-des-Arts et la place Saint-Michel est animé et bruyant, peuplé de touristes, d'étudiants et souvent aussi de figures de la jeunesse noire et arabe, ce qui n'est pas si fréquent sur la rive gauche où les Maliens sont plutôt sur les échafaudages et les Algériens dans les camions de livraison. La fontaine Saint-Michel est le point de ralliement, où l'archange terrassant le dragon symbolise, pour Dolf Oehler, « la victoire de l'ordre impérial et bourgeois sur la révolution, le triomphe du Bien sur le mauvais peuple de juin 1848[15]. »

Les immeubles ordonnancés bordant la place Saint-Michel sont une autre représentation de « l'ordre impérial et bourgeois ». Avec leurs hautes arcades entresolées, leurs pilastres colossaux, leurs balcons à balustres, ils sont exemplaires d'une version monumentale, presque néoclassique, de l'haussmannisme. Sur le côté est s'ouvrent la rue de la Huchette et la rue Saint-Séverin, liée pour moi comme pour bien d'autres au souvenir de La Joie de lire. Comme cette librairie restait ouverte très tard, j'y allais dans la soirée après le travail. On y croisait des amis, on discutait avec des inconnus, on plaisantait avec les libraires, jolies filles dont l'un des jeux consistait à deviner quel livre allait acheter celui ou celle qui entrait. Et l'on voyait parfois passer silencieusement la mince et élégante silhouette de François Maspero. Je n'ai jamais osé lui parler à cette époque.

C'est grâce aux Éditions Maspero et à La Joie de lire que j'ai fait connaissance avec Frantz Fanon, Louis Althusser, Paul Nizan, Jean-Pierre Vernant, Fernand Deligny, John Reed, Alexandra Kollontaï, Rosa Luxemburg – plus tard que d'autres, mais le métier de chirurgien porte hélas à un certain abrutissement. Par le graphisme, par les couleurs, par la qualité du papier et de l'impression, les livres de Maspero étaient magnifiques. J'en avais des dizaines, perdus depuis dans les déménagements, prêtés non rendus, mais ce n'est pas grave, ils ont existé, ils m'ont nourri. J'en rachète quand j'en trouve.

Condamnées, saisies, plastiquées, les Éditions et la librairie Maspero n'ont jamais plié. Il n'existait qu'une seule maison dont le courage et l'inventivité pouvaient soutenir la comparaison : les Éditions de Minuit, les autres faisant figure de vieilles rombières. Maspero et Lindon sont des héros du temps de ma jeunesse. On a donné une rue à Gaston Gallimard. Saint Séverin ne nous en voudra pas si l'on donne un jour à la moitié de la sienne le nom de François Maspero.

Pour atteindre le Châtelet depuis la place Saint-Michel, le plus simple serait d'aller tout droit mais cela m'imposerait de cheminer entre le Palais de Justice, la préfecture de Police et le Tribunal de commerce, triste perspective. Un crochet par le Petit-Pont m'amènerait à traverser la queue des touristes devant Notre-Dame puis à marcher entre le mur nu de l'Hôtel-Dieu et les étalages de tee-shirts de la rue d'Arcole, ce qui n'est guère plus engageant. Autrement dit, il n'existe aucun trajet agréable pour traverser l'île de la Cité en son milieu.

Après la victoire de la révolution à venir, il faudra nettoyer les séquelles de l'attentat urbanistique commis par Haussmann dans ce lieu. Pour cela, je proposerais volontiers de détruire l'Hôtel-Dieu et la préfecture de Police, ce qui libérera un grand espace entre les deux bras de la Seine, depuis le palais de Justice (transformé en salles de répétition et de concerts) jusqu'à la façade de Notre-Dame. Les matériaux de démolition seront soigneusement sauvegardés, car on confiera ensuite à des ouvriers du bâtiment venus de Seine-Saint-Denis la construction de logements et d'équipements sur ce terrain. Ce ne sera pas beau ? un bidonville ? Je pense au contraire qu'on viendra du monde entier admirer cette merveille d'un style nouveau. Ce sera le début de la reconquête de Paris.

En attendant, mon choix est de traverser la Seine par le Pont-Neuf. J'éviterai le vacarme du quai des Grands-Augustins et les kebabs de la rue Saint-André-des-Arts, je zigzaguerai entre les deux. (Sur le quai, toutefois, j'ai un amical repère, L'Écluse, aujourd'hui restaurant offrant une bonne sélection de vins de Bordeaux mais qui fut dans les années 1950 un cabaret où j'ai entendu pour la première fois des artistes débutants, Georges Brassens et plus tard Barbara.)

La rue de l'Hirondelle qui part sous une arcade de la place Saint-Michel est aujourd'hui presque déserte. Francis Carco raconte qu'avant la guerre de 14 on y trouvait La Bolée, réplique du Lapin agile au Quartier latin, où « la clientèle, composée d'anarchistes, de rôdeurs, d'étudiants, de chansonniers, de drôles, de trottins et de pauvresses, festoyait à bon marché, non point comme dans une salle d'attente de 1re classe mais de 3e, parmi des papiers gras, de la charcuterie et des pichets de cidre[16] ». Que le Quartier latin ait été autrefois sale et misérable, que les alentours du Collège de France aient été le domaine des chiffonniers, il n'en reste aucune trace. Le quartier a été aseptisé pendant la première moitié du XXe siècle et le paysage des années 1920 que décrivent Léautaud dans son *Journal*, Daudet dans *Paris vécu* ou Gide dans *Les Faux-Monnayeurs* est déjà bien différent de celui de Carco.

Sans guère de circulation ni de boutiques ni même de cafés, la rue Gît-le-Cœur, la rue Séguier, la rue de Savoie sont blanches, calmes et silencieuses à toute heure et en toute saison. Il n'est pas facile de savoir qui habite là car on n'y croise pas grand monde. La rue des Grands-Augustins est plus animée (les Grands-Augustins étaient avant la Révolution un immense couvent en bord de Seine entre la tour de Nesle et la rue qui porte aujourd'hui leur nom. La rue Dauphine fut percée à travers leurs jardins). Au numéro 7, une plaque indique que Picasso y peignit *Guernica* et que Balzac y situa l'action du *Chef-d'œuvre inconnu*.

Le carrefour où la rue du Pont-de-Lodi débouche dans la rue Dauphine presque en face de la rue de Nesle est le domaine des soldeurs de livres. C'est une activité à la fois discrète et considérable : des milliers de volumes partent d'ici vers les boutiques de livres à prix réduit qu'on trouve dans toute la France. Quand j'ai débuté dans l'édition, j'ai connu les quatre ou cinq personnages qui régnaient sur cet endroit. À force de voir passer à longueur d'année les pannes de tous les éditeurs, ils possédaient un savoir prédictif, un sens aiguisé de ce qui fait le succès ou l'échec d'un livre. Pour le néophyte que j'étais, c'était une fréquentation précieuse qui m'a souvent permis d'écarter des projets douteux. L'un d'eux, René Beaudoin, avait fondé « Mona lisait », où l'on trouvait au sous-sol des titres rares qu'il lui arrivait de rééditer lui-même. Grand cycliste – il entraînait l'équipe des jeunes à Gennevilliers –, il est mort, renversé par un camion sur le quai de la Mégisserie. Les autres sont toujours là avec leurs palettes de livres derrière des vitrines sombres que rien ne signale à l'attention du passant.

Depuis le Pont-Neuf, en un tour sur soi-même on aperçoit la Monnaie, l'Institut, l'angle de la colonnade du Louvre et la galerie d'Apollon, le clocher et l'abside de Saint-Germain-l'Auxerrois, le sommet de la tour Saint-Jacques et de la façade de Saint-Gervais, les tours du palais de Justice et, sur le pont lui-même, les deux immeubles jumeaux encadrant l'entrée de la place Dauphine. Dans ce panoramique, je lis une sorte d'unité qui ne tient pas seulement à l'habitude : ces bâtiments sont tous bâtis en pierre de Paris (Louis-Sébastien Mercier : « Ces tours, ces clochers, ces voûtes des temples, autant de signes qui disent à l'œil : ce que nous voyons en l'air manque sous nos pieds[17] »). C'est cette origine du matériau qui donne à ces monuments si divers une teinte commune avec de subtiles variations autour du gris parisien. Et tous témoignent du grand art des tailleurs de pierre qui se sont succédé au fil du temps.

Ce paysage, il est vrai, n'est plus qu'un vaste musée. Les tondeurs de chiens, les bateliers, les porteurs d'eau qui l'animaient autrefois ont depuis longtemps disparu, mais après tout on a bien le droit d'être heureux dans un musée, comme à deux pas de là, devant les lances de Paolo Uccello ou la Rébecca de Nicolas Poussin, si gracieuse dans sa robe bleue près de la fontaine.

L'ensemble que forment le Pont-Neuf, la place Dauphine et la rue Dauphine est le premier cas d'aménagement concerté dans Paris. (« Dauphine » en l'honneur du petit Dauphin, le futur Louis XIII, né en 1601.) Henri IV avait lancé deux autres grands projets : la place Royale [des Vosges], devenue le centre de la vie élégante à Paris au point qu'on disait « la Place » tout court, et la place de France, restée à l'état de projet après le coup de Ravaillac. C'était un demi-cercle dans les marais du Temple, destiné à être le siège de l'administration du royaume. Son diamètre se serait situé le long de l'enceinte [sur le boulevard des Filles-du-Calvaire, près du cirque d'Hiver] et depuis son centre auraient rayonné des rues portant le nom de provinces françaises. Il reste dans le quartier des traces sinon de cette disposition du moins de ces noms : rues de Poitou, de Normandie, de Franche-Comté, de Beauce… Que les plans des places Dauphine, Royale et de France aient été tracés selon les trois figures essentielles de la géométrie, triangle, carré et cercle, montre que rien n'était laissé au hasard dans le projet d'aménagement de la ville[18].

La place Dauphine a subi une série d'agressions qui lui ont fait bien du mal. Sous la IIIe République, la construction de la massive façade ouest du Palais de Justice a entraîné la destruction de la base du triangle, mais pour André Breton, quand il écrit *Nadja* dans les années 1920, c'est encore « un des lieux les plus reculés », « un des pires terrains vagues » de Paris. Puis, vers 1970, un parking a été creusé sous la place qui s'en est trouvée ravagée comme l'ont été pour la même raison la place Vendôme, la place Saint-Sulpice et bien d'autres. Le sol a été surhaussé, les antiques pavés remplacés par un revêtement sableux portant des marronniers rachitiques. L'ensemble est, paraît-il, un square auquel on n'a pas osé donner de nom. Enfin, à partir des années 1990, les restaurants ont proliféré sur les deux côtés du triangle, finissant d'en gâter le charme. « Chez Paul », où j'invitais parfois mes externes (les jeunes, tout en bas de la hiérarchie hospitalière), existe toujours mais sans l'ambiance de vieux bistrot parisien, nappe à carreaux, serveuses revêches, poireaux vinaigrette et blanquette de veau.

L'étroite rue du Roule longe le flanc de la Samaritaine, dont le nom provient d'un pavillon sur pilotis accolé au Pont-Neuf, qui portait une pompe, une horloge et un carillon. Mercier note que « ce cadran vu et interrogé par tant de passants est des mois entiers sans marquer les heures. Le carillon est aussi défectueux que l'horloge ; il déraisonne publiquement : mais du moins on a le droit de s'en moquer[19] ». Le grand magasin de la Samaritaine, lui, a fermé voici dix ans, sous prétexte de sécurité – bobard évident, mais le propriétaire (Bernard Arnault, LVMH) étant l'un des principaux acheteurs d'espaces publicitaires dans la presse, celle-ci a fait montre en l'occurrence de son habituelle prudence.

Sur l'avenir de ce chef-d'œuvre de Frantz Jourdain et Henri Sauvage, on est en droit d'être inquiet, même si la maîtrise d'œuvre des travaux est confiée à l'agence japonaise SANAA, l'une des plus brillantes du moment, qui a à son actif en France le Louvre-Lens. De bas en haut, le programme prévoit des galeries commerciales en sous-sol, rez-de-chaussée et premier étage, puis des espaces de bureaux pour financer l'affaire, puis un hôtel de luxe, quatre-vingts suites en façade sur la Seine. Il faut souhaiter bon courage aux architectes car le bâtiment étant archi-classé, il n'est pas possible de le « façadiser », c'est-à-dire de le vider comme un poulet en gardant l'enveloppe. Les rampes, les escaliers, toute la précieuse ferronnerie Art déco doit être sauvegardée, et il ne sera pas facile de faire coïncider les planchers prévus et les percements du bâtiment originel. Pour ne pas heurter la sensibilité de la mairie de Paris, toujours à vif comme on sait, pour obtenir le droit de bâtir plus haut grâce à une modification ponctuelle du plan local d'urbanisme, le programme prévoit en outre des logements sociaux et une crèche. Bref, si le choix des architectes permettra sans doute d'éviter le désastre, l'argent et le luxe vont à coup sûr priver le bon peuple d'un de ses lieux traditionnels d'achat-flânerie, un magasin où « on trouvait tout », escaladé par King Kong dans un célèbre sketch publicitaire des années 1970. La terrasse de la Samaritaine, sa table d'orientation, sa vue à 360° sur les toits parisiens, resteront accessibles au public mais par groupes de douze escortés de deux pompiers[20]. Il est vrai qu'entre-temps LVMH aura offert aux Parisiens la fondation Vuitton, au bois de Boulogne – bâtiment conçu par Frank Gehry, l'architecte le plus m'as-tu-vu du monde, pour Bernard Arnault, l'homme le plus riche de France.

De la rue du Roule, j'aperçois la rosace du transept de Saint-Eustache. Dans *Les Nuits d'octobre*, Nerval erre dans les Halles avec un ami : « Cet admirable édifice, où le style fleuri du Moyen Âge s'allie si bien aux dessins corrects de la Renaissance, s'éclaire encore magnifiquement aux rayons de la lune, avec son armature gothique, ses arcs-boutants multipliés comme les côtes d'un cétacé prodigieux, et les cintres romains de ses portes et de ses fenêtres dont les ornements semblent appartenir à la coupe ogivale[21]. » À mesure que les deux noctambules avançaient, « le petit carreau des halles commençait à s'animer. Les charrettes des maraîchers, des mareyeurs, des beurriers, des verduriers, se croisaient sans interruption. Les charretiers arrivés au port se rafraîchissaient dans les cafés et dans les cabarets, ouverts sur cette place pour toute la nuit. Dans la rue Mauconseil, ces établissements s'étendent jusqu'à la halle aux huîtres ; dans la rue Montmartre, de la pointe Saint-Eustache jusqu'à la rue du Jour. On trouve là, à droite, des marchands de sangsues ; l'autre côté est occupé par les pharmaciens-Raspail et les débitants de cidre, chez lesquels on peut se régaler d'huîtres et de tripes à la mode de Caen. [...] En passant à gauche du marché aux poissons, où l'animation ne commence que de cinq à six heures, moment de la vente à la criée, nous avons remarqué une foule d'hommes en blouse, en chapeau rond et en manteau blanc rayé de noir, couchés sur des sacs de haricots... Quelques-uns se chauffaient autour de feux comme ceux que font les soldats qui campent, d'autres s'allumaient des foyers intérieurs dans les cabarets voisins. D'autres, encore debout près des sacs, se livraient à des adjudications de haricots... Là, on parlait prime, différence, couverture, reports, hausse et baisse ; enfin, comme à la Bourse ».

Il s'agit évidemment des Halles d'avant Baltard, mais ce que décrit Nerval n'est pas très différent de l'atmosphère que j'ai connue dans les années 1960 en venant faire le marché avec la cuisinière pour préparer une fête à la salle de garde de l'hôpital Necker. (La salle de garde est le lieu où mangent et logent les internes.) Celles et ceux qui travaillaient aux Halles étaient à la hauteur de la légende qu'ils ont laissée, de François Villon à Jean-Pierre Melville. Dans le vêtement, dans le parler, dans les gestes mêmes ils et elles (surtout elles, il me semble) avaient un style, une invention, une drôlerie, une cordialité dont on trouve encore trace sur certains marchés parisiens, naguère aux Enfants-Rouges, aujourd'hui à Aligre. Ceux qui n'ont pas l'âge d'avoir connu les Halles avant leur destruction peuvent au moins contempler les photographies que Robert Doisneau leur a consacrées au fil des années : les cageots par milliers, les casquettes, les tronches, les blouses, la buée sur les vitres des cafés, les poissons et les jambons, les fleurs et les oignons, les camions, les lumières… il ne manque que les odeurs et les bruits. Un peu plus loin, le plateau Beaubourg, plat comme tous les plateaux, revêtu de gros pavés, était le garage des camions.

Dans *L'Assassinat de Paris*, Louis Chevalier rappelle les raisons de ceux qui voulaient détruire les Halles dès

la fin des années 1950[22]. Principal argument : les embouteillages, l'une des grandes doléances de l'époque – le projet de Pompidou sera d'adapter Paris à l'automobile et la destruction des Halles sera le grand moment de cette adaptation. Embouteillages « dont les intéressés, les camionneurs, se tiraient à merveille, dont ils auraient été les derniers à se plaindre. Et puis les embouteillages de l'ensemble de la ville et, de proche en proche, de l'agglomération, dont le trafic des marchés était immanquablement tenu responsable, alors que dès les premières heures de la matinée, sur le boulevard Sébastopol désencombré et lavé à grande eau, on circulait fort bien, ce qui, paradoxalement, cessa d'être le cas immédiatement après le départ des Halles ». Et l'hygiène, « la saleté légendaire des Halles. Les denrées en plein air et en toutes saisons, à la chaleur, au froid, à la pluie, au soleil, dans la poussière, dans la boue, sur les trottoirs, sur la chaussée, dans le ruisseau, sur les bouches d'égout. Bien entendu, je cite en vrac les mots tels que je les trouve dans les discours, sans chercher à les mettre en ordre, à les arranger entre eux, comme on arrangeait les marchandises, les légumes par exemple, en harmonieux édifices qui, dans la lumière éclatante des lampes, respiraient l'ordre, la beauté, le goût et bien évidemment la propreté : si frais, si propres que c'était même dommage de les éplucher. […] Curieusement, l'argument hygiénique, brandi par les adversaires des Halles et par les partisans d'une "solution définitive", avait été l'un des arguments de ceux qui, toute honte bue, avaient eu le front de défendre la destruction du vieux port de Marseille : prodigieux quartier aussi, si semblable à bien des égards à celui des Halles, par son destin, par le souvenir éclatant qu'il a laissé aux quatre coins du monde, et d'abord par les thèmes du réquisitoire, l'un d'entre eux étant le danger pour la santé publique : de quoi faire échouer de rire la fameuse baleine ». Et pour dramatiser davantage, les rats, « la vieille peur moyenâgeuse des rats. "Une armée de rats", le mot "armée" rendant le danger plus évident. Bien qu'on n'eût pas entendu parler de travailleurs des Halles aux prises avec des rats, comme le travailleur de la mer avec la pieuvre, ceux qui écoutaient ces propos en avaient la chair de poule ». Et pour compléter le spectacle, « les grosses prostituées de Villon, peu discrètes il est vrai, certaines étalant leurs charmes jusque sur les marches de Saint-Eustache ».

Louis Chevalier, qui enseignait l'histoire de Paris au Collège de France, avait été condisciple de Georges Pompidou à l'École normale et ils continuaient à déjeuner ensemble de temps à autre dans un petit restaurant de la rue Hautefeuille. « Nous parlions de tout, de notre jeunesse, de nos maîtres, de nos camarades, de la vie, de l'amour, de la poésie, jamais de la philosophie à laquelle nous ne mordions guère, et bien évidemment jamais, absolument jamais, de la politique. Et aussi, et nous y voilà, jamais de Paris. Et pourtant Dieu sait si, certains jours, le sujet s'imposait, brûlant d'être servi tout chaud, sur un plateau, au milieu de la table. Par exemple le lendemain d'une certaine déclaration sur la Défense et les tours, faite au journal *Le Monde*. Au moment de me mettre à table, je l'avais encore sur l'estomac. Il me sembla – simple illusion peut-être – que Pompidou, connaissant mes idées sur la question, à l'exact opposé des siennes, me lança un regard inflexible et goguenard qui signifiait sans doute qu'avec des gens de mon espèce, les Parisiens camperaient encore dans les huttes où les avait trouvés César. »

Mai 68 joua certainement en faveur de la décision fatale. Non qu'il se soit passé grand-chose aux Halles pendant « les événements », mais l'assainissement physique et moral de la capitale était dans l'air du temps. Et pour finir, le 27 février 1969, les Halles furent déménagées à Rungis.

Aurait-il fallu garder les pavillons de Baltard ? Je n'en suis pas sûr. Entre le déménagement et leur destruction en 1971-1972, ils ont été, c'est vrai, des lieux de théâtre, de danse, de musique, ouverts pour toutes sortes de fêtes mais qui n'avaient rien d'officiel, qui représentaient au contraire une manière de défier l'autorité, de prolonger l'esprit de Mai. Rendus au commerce et à la culture, il est probable que les pavillons auraient subi le sort des lieux conservés après la fin de leur activité d'origine, « espaces » tristes, voués à la vente de tee-shirts et de souvenirs, aux fast-foods ou à des musées en exil : Covent Garden à Londres, les docks de Liverpool, le Lingotto de Fiat à Turin, le port de San Francisco…

Mais ce qui s'est passé dans les années 1970 entre Saint-Eustache, la rue Saint-Honoré, la Bourse de commerce et le boulevard Sébastopol est ahurissant. En 1974, Giscard devient président de la République. C'est lui qui a la main sur les Halles, avec le préfet de la Seine, car, depuis la Révolution française, Paris qui n'a pas de maire est sous l'étroit contrôle de l'exécutif. Les gaullistes du conseil municipal sont mis sur la touche et Giscard confie l'aménagement des Halles à un jeune architecte catalan, Ricardo Bofill. Après le refus de son projet d'une grande colonnade à la Bernin, il propose un plan plus sage, et ses premiers immeubles, plutôt haussmanniens, commencent à sortir de terre, tandis que l'on creuse le célèbre trou, destiné à loger la gare du métro et du futur RER.

Tout change quand Chirac devient maire de Paris en 1977. Il déclare : « Je serai l'architecte en chef

des Halles, sans complexes… Je veux que ça sente la frite[23] ! », ce qui sonne comme le rejet des préciosités giscardiennes. Bofill est écarté (on lui donnera en compensation l'aménagement du quartier Vercingétorix) et ses immeubles, dont certains sont déjà hauts de trois étages, sont détruits au marteau-piqueur. Pour finir, les projets retenus sont ceux de Claude Vasconi et de Louis Arretche, figure des beaux-arts à la française, pour les jardins.

Reste la question du trou. Il avait fallu creuser très profond pour mettre la gare du RER au niveau du métro parisien et la béance est gigantesque – pour s'en convaincre, on peut voir ou revoir *Touche pas la femme blanche*, excellente parodie de western tournée à l'intérieur du trou par Marco Ferreri, avec Marcello Mastroianni et Catherine Deneuve. La gare n'occupe que le fond de l'excavation. Que faire du reste ? Après avoir écarté divers projets farfelus (comme un « delphinarium », pour dauphins et autres cétacés), la société d'économie mixte qui dirige l'opération (la SEMAH), soucieuse de rentabiliser l'affaire, va donner la plus grande part du gâteau au centre commercial que nous connaissons aujourd'hui sous le nom de Forum. Depuis lors, ceux qui font la loi sur l'aménagement des Halles sont le puissant syndicat des commerces installés là et le promoteur, la société Espace Expansion, filiale d'Unibail. Les centaines de milliers de banlieusards et de Parisiens qui transitent par là tous les matins restent sous terre, bien à l'abri de l'air et de la lumière[24].

Au moment où je traverse les Halles en prenant des notes, le chantier de la « canopée » n'est pas terminé. Comme le conseille Wittgenstein, « sur ce dont on ne peut pas parler, il faut garder le silence ».

Le carré délimité par la rue des Innocents, la rue Saint-Denis et la rue Berger (le quatrième côté n'a ni forme ni nom) correspond à peu près à l'espace occupé jusqu'à la fin du XVIIIe siècle par le cimetière des Innocents. La fontaine décorée par Jean Goujon n'était pas au centre puisque là s'ouvrait la grande fosse qui recevait des cadavres par dizaines tous les jours depuis Philippe le Bel. Elle était adossée à l'église des Innocents, dans l'angle de la rue Saint-Denis et de la rue aux Fers [Berger], et n'avait donc que trois faces. Le cimetière était orné de danses macabres comme on en peignait beaucoup au XVe siècle et, nous dit Sauval – historien de Paris qui écrivait dans les années 1650 –, d'un squelette de Germain Pilon du plus merveilleux effet. Jean Goujon, Germain Pilon : si la peinture française est un peu à la traîne au XVIe siècle, la sculpture est à un sommet. Ceux qui préfèrent voir les statues dans leurs lieux d'origine peuvent admirer à l'église

Saint-Paul la *Vierge de douleur* de Germain Pilon, et de Jean Goujon, outre les adorables nymphes de la fontaine des Innocents, *Les Quatre Saisons* dans la cour du musée Carnavalet.

Les Innocents n'étaient pas un cimetière ordinaire. Dans des galeries le long des murs (les « charniers » où l'on entassait les ossements pour faire de la place dans la fosse), toutes sortes de commerces ambulants, des lingères aux diseurs de bonne aventure, en faisaient l'un des centres de la vie parisienne. C'était d'ailleurs l'un des trois points éclairés dans la profonde nuit du Paris médiéval, les deux autres étant la porte du Grand-Châtelet et la tour de Nesle où une lanterne signalait aux mariniers remontant la Seine qu'ils entraient dans la ville.

Mais vers la fin de l'Ancien Régime on commençait à se soucier d'hygiène. « Les connaissances nouvellement acquises sur la nature de l'air avaient mis dans un jour évident le danger de ce méphitisme », dit Mercier. Si bien qu'en 1780 le cimetière fut fermé et les ossements transférés dans les carrières du sud de Paris qui prendront le nom de Catacombes. Quel déménagement ! « Qu'on se représente des flambeaux allumés, cette fosse immense, ouverte pour la première fois, ces différents lits de cadavres, tout à coup remués, ces débris d'ossements, ces feux épars que nourrissent des planches de cercueil, les ombres mouvantes de ces croix funéraires, cette redoutable enceinte subitement éclairée dans le silence de la nuit[25] ! » On démolit alors l'église et les charniers, et le sol fut pavé pour recevoir un marché. La fontaine fut démontée et reconstituée pierre par pierre en son centre, mais il lui fallait une quatrième face. La tâche fut confiée à Pajou, sculpteur néoclassique, qui s'en acquitta honorablement – cette face est aujourd'hui celle qui regarde vers le sud.

La partie étroite de la rue Saint-Denis qui mène au Châtelet croise ou reçoit des rues chargées d'histoire. À droite, le long des arcades de la rue de la Ferronnerie, Henri IV fut poignardé par Ravaillac alors qu'il allait inaugurer la chapelle de l'hôpital Saint-Louis. À gauche, la rue de La Reynie porte le nom du premier lieutenant général de police, nommé par Colbert en 1667, qui s'employa à réprimer les écrits séditieux, à fermer les cours des miracles, à chasser ce qui restait de pauvres et de déviants après le « grand renfermement » de 1657, lors duquel la population errante – mendiants, fous, vagabonds, prostituées – avait été rassemblée et mise sous clef à la Salpêtrière et à Bicêtre. On lui doit aussi le premier éclairage public, des cages de verre contenant des chandelles, accrochées par des cordes au premier étage des maisons. Plus loin, la rue des Lombards évoque le souvenir des changeurs et prêteurs de fonds italiens qui s'y étaient établis dès le règne de Philippe Auguste.

Chemin faisant, je me rends compte que cette *Traversée* est racontée comme d'un seul tenant, comme si j'avais parcouru le trajet en une seule et même journée sans m'arrêter pour prendre un café ou me protéger de la pluie, sans jamais m'interrompre pour reprendre le lendemain. Il entre donc une part de fiction et même d'invraisemblance dans ce récit. Pour me justifier, je vois un précédent illustre, celui du *Temps retrouvé*. Seul dans la bibliothèque de l'hôtel du prince de Guermantes, le narrateur explique qu'après tant d'années perdues dans l'oisiveté et l'indécision il va se mettre au travail et écrire enfin le livre… dont on vient de lire des milliers de pages. Ce n'est d'ailleurs pas la seule entorse à la vraisemblance dans ce dernier volume de la *Recherche*. Combray, jusque-là clairement situé dans la Beauce, devient soudain un village sur la ligne de front de la guerre en 1916, quelque part en Champagne. « La bataille de Méséglise, écrit Gilberte au narrateur, a duré plus de huit mois, les Allemands y ont perdu plus de six cent mille hommes, ils ont détruit Méséglise mais ils ne l'ont pas pris. » Ce n'est pas l'une de ces minimes inconséquences dispersées dans la *Recherche*, celles où un personnage secondaire cité au début devient à mille pages de distance le cousin de tel autre au lieu d'être son neveu. Combray est un lieu central du livre et son déménagement ne peut être que voulu. De même, après une très longue promenade avec Charlus la nuit, « en descendant les boulevards », le narrateur le quitte, marche seul et entre au hasard, pour étancher sa soif, dans ce qu'il croit être un hôtel et qui est en fait un bordel tenu par Jupien, où Charlus se fait fouetter, enchaîné aux montants du lit – long passage, très travaillé et volontairement invraisemblable. Ainsi, la fin du *Temps retrouvé* devient une féerie nocturne (« le vieil Orient de ces *Mille et une Nuits* que j'avais tant aimées ») éclairée par les projecteurs fouillant le ciel à la recherche des avions allemands.

4

Retour sur terre, place du Châtelet. Repère central du Paris actuel, on pourrait croire qu'elle a toujours été là, à la croisée des axes nord-sud et est-ouest, mais non, c'est une pure création haussmannienne. À l'époque où écrivaient Nerval, Balzac, Eugène Sue et le jeune Hugo de *Notre-Dame de Paris*, le quartier compris entre l'Hôtel de Ville et la colonnade du Louvre était un lacis de ruelles médiévales, le plus dense de toute la ville. Au début d'*Une double famille*, Balzac décrit la rue du Tourniquet-Saint-Jean, « naguère une des rues les plus tortueuses et les plus obscures du vieux quartier qui entoure l'Hôtel de Ville ». À son débouché, elle n'avait que cinq pieds de largeur, aussi, « par les temps pluvieux, des eaux noirâtres baignaient-elles promptement le pied des vieilles maisons qui bordaient cette rue, en entraînant les ordures déposées par chaque ménage au coin des bornes. Les tombereaux ne pouvant point passer par là, les habitants comptaient sur les orages pour nettoyer leur rue toujours boueuse, et comment aurait-elle été propre ? Lorsqu'en été le soleil darde en aplomb ses rayons sur Paris, une nappe d'or, aussi tranchante que la lame d'un sabre, illuminait momentanément les ténèbres de cette rue sans pouvoir sécher l'humidité permanente qui régnait depuis le rez-de-chaussée jusqu'au premier étage de ces maisons noires et silencieuses. Les habitants, qui au mois de juin allumaient leurs lampes à cinq heures du soir, ne les éteignaient jamais en hiver. Encore aujourd'hui, si quelque courageux piéton veut aller du Marais sur les quais, en prenant, au bout de la rue du Chaume, les rues de l'Homme-Armé, des Billettes et des Deux-Portes qui mènent à celle du Tourniquet-Saint-Jean, il croira n'avoir marché que sous des caves ». De tout cela ne restent que quelques noms de rues, de la Tâcherie, de la Coutellerie, de la Verrerie. La rue de la Vieille-Lanterne que Nerval choisit pour mourir allait de la rue de la Vieille-Place-aux-Veaux à la place du Châtelet de l'époque, et l'on dit que l'endroit où il se pendit correspond au milieu du rideau du théâtre de la Ville. À cette époque, la place du Châtelet était toute petite, centrée sur la colonne de la Victoire construite sous l'Empire. Ce centre était situé plus à l'est que celui de la place dessinée par Haussmann, si bien que lorsqu'il reconfigura le quartier il fallut déplacer la colonne d'une douzaine de mètres vers l'ouest.

Des quatre côtés du Châtelet d'aujourd'hui, il en est trois qui remplissent bien leur rôle : au sud, la Seine et la vue sur les tours du Palais de Justice ; sur les côtés, les deux théâtres construits par Davioud, symétriques mais pas tout à fait, d'un éclectisme correct sans être ennuyeux. C'est le quatrième côté qui ne va pas, qui fait de la place du Châtelet un grand carrefour giratoire et non un but de promenade et un lieu de rencontre. Les percées haussmanniennes – la rue des Halles, le boulevard Sébastopol et la malencontreuse avenue Victoria – ouvrent des béances que la maigre façade de la Chambre des notaires ne peut combler. Quant au terre-plein central, ceint d'une balustrade métallique presque continue, c'est un espace à l'abandon : un kiosque à journaux, une entrée de métro, une station de taxis, une colonne Morris (utilise-t-on toujours ce nom ?), des rangées d'arbres malingres. Seule la margelle de la fontaine autour de la colonne offre aux touristes de quoi s'asseoir et, quand il fait chaud, les sphinx cracheurs d'eau apportent quelque fraîcheur dans le carrousel automobile.

Tracé haussmannien paradigmatique, l'axe des boulevards de Sébastopol et de Strasbourg est une réussite, intégré tant dans la langue (« le Sébasto ») que dans les quartiers qu'il traverse et réunit. Les extrémités de la perspective sont marquées par le dôme du Tribunal de commerce au sud et la verrière de la gare de l'Est au nord – François Loyer a noté que le dôme du Tribunal, bizarrement excentré sur un toit plat, n'a d'autre fonction que visuelle[26]. Le grand mérite de cette percée est de n'avoir pas détruit les quartiers traversés, si l'on excepte la courte partie comprise entre le Châtelet et la rue de Rivoli, dévastée comme on l'a vu. Certes, le boulevard a entraîné des destructions sur son passage, mais elles restent limitées en largeur. Ni la rue Saint-

Martin, ni la rue Saint-Denis, ni les nombreuses petites transversales n'ont subi de dommages notables : elles gardent le même tracé et presque le même bâti qu'au temps de Balzac et du jeune Baudelaire.

C'est que, dans les grands travaux d'Haussmann, tout ne relève pas du même dessein. Certains sont de véritables attentats urbanistiques : nettoyage par le vide, destruction massive et systématique, déplacement de populations. Ces ravages ont porté sur deux zones envers lesquelles le Second Empire éprouvait un mélange de crainte et de mépris : l'île de la Cité et le quartier de l'Hôtel de Ville d'une part, et de l'autre la région située autour de la place du Château-d'Eau, qui deviendra la place de la République.

Dans ses *Mémoires*, Haussmann exprime son dégoût pour la foule infecte qu'il était obligé de traverser en marchant de la Chaussée-d'Antin où il habitait jusqu'à la faculté de droit où il étudiait. Il fallait en finir avec ces malandrins, ces prostituées et ces ouvriers immigrés entassés dans des rues sordides autour de l'Hôtel de Ville et de Notre-Dame, d'où sortaient aussi bien le choléra que d'imprévisibles émeutes. (*Immigrés* : ces ouvriers, qui venaient de Creuse – où un village porte encore le nom de Peintaparis –, de Corrèze ou de Bretagne, étaient considérés comme le seront par la suite les Polonais, les Italiens, les Portugais, les Algériens et les Maliens.)

La seconde région à détruire, autour du Château-d'Eau, était avec le faubourg Saint-Antoine la plus turbulente de la ville, la plus prompte à dresser des barricades et à se battre jusqu'à la mort : en juin 1848 – souvenir récent à l'époque d'Haussmann –, pour réduire l'insurrection au faubourg du Temple il avait fallu des dizaines de milliers d'hommes appuyés par l'artillerie. On procéda donc au nettoyage du quartier par le vide : un énorme trou fut creusé dans le tissu urbain, gommant la fin du boulevard du Temple (le boulevard du Crime et tous ses théâtres) et le début du boulevard Saint-Martin. Ce trou fut transformé vaille que vaille en une place dont l'élément essentiel était la caserne – qui existe toujours. De là, par de nouvelles voies (rue Turbigo, boulevard Magenta, canal Saint-Martin recouvert pour donner le boulevard Richard-Lenoir) la cavalerie et l'artillerie pouvaient partir aux quatre coins de la ville. Les difficultés éprouvées depuis lors pour aménager la place de la République sont liées à ce passé, car il y a une différence de nature entre un vide que l'on circonscrit comme on peut et un espace dessiné pour devenir une place.

Mais il était impossible d'éliminer de Paris toutes les classes dangereuses. Il fallait des ouvriers pour les gigantesques travaux qui allaient bouleverser la ville. D'où le deuxième type de percées haussmanniennes, celles qui relèvent davantage de l'urbanisme que de la lutte de classes, qui filent dans le tissu urbain sans dévaster les quartiers traversés. Ainsi, de part et d'autre de la rue Turbigo, la vieille section révolutionnaire des Gravilliers d'un côté et, de l'autre, les jolies rues Meslay, du Vert-Bois et Notre-Dame-de-Nazareth restent à peu près inchangées – comme, des deux côtés de la rue de Rennes, les antiques rues du Vieux-Colombier, du Four, du Sabot et la petite rue Bernard-Palissy où siègent depuis bien longtemps les Éditions de Minuit. On a oublié que toutes ces rues étaient autrefois populaires. C'est seulement au cours du XXe siècle qu'elles sont passées aux mains de la bourgeoisie fortunée, car vivre dans de l'ancien est une *mode moderne*. Jusqu'à la guerre de 14 et peut-être jusqu'aux années 1930, ceux qui en avaient les moyens vivaient dans les beaux quartiers. Proust a habité boulevard Malesherbes, rue de Courcelles, boulevard Haussmann, rue Hamelin, et ses personnages sont logés dans les hôtels du faubourg Saint-Germain ou plus souvent dans les quartiers récents et élégants des VIIIe et XVIIe arrondissements. Il fallait être un excentrique comme Swann pour préférer le quai d'Orléans sur l'île Saint-Louis.

Du Châtelet, quelques pas suffisent pour atteindre ce qui reste de la grande église Saint-Jacques-de-la-Boucherie, la tour Saint-Jacques. De jour, c'est un vestige gothique qui était peut-être plus beau quand il était enveloppé d'échafaudages (« les prodigieux échafaudages des monuments en réparation, appliquant sur le corps solide de l'architecture leur architecture à jour d'une beauté si paradoxale », comme dit Baudelaire[27]). Mais de nuit c'est tout autre chose. La tour, transfigurée, se détache sur fond noir comme une apparition fantastique. André Breton l'évoque à plusieurs reprises, comme dans « Vigilance » :

> À Paris la tour Saint-Jacques chancelante
> Pareille à un tournesol
> Du front vient quelquefois heurter la Seine et son
>   ombre glisse imperceptiblement parmi les
>   remorqueurs…

poème qu'il reprend dans *L'Amour fou* : « Vous aviez beau savoir que j'aimais cette tour, je revois encore à ce moment toute une existence violente s'organiser autour d'elle pour nous comprendre, pour contenir l'éperdu dans son galop nuageux autour de nous. » Et le dernier chapitre d'*Arcane 17* est tout entier consacré à la tour :

« Il est certain que mon esprit a souvent rôdé autour de cette tour, pour moi très puissamment chargée de sens occulte, soit qu'elle participe de la vie doublement sous roche (une fois parce qu'elle a disparu, laissant derrière elle ce trophée géant, une autre fois parce qu'elle a exercé comme nulle autre la sagacité des hermétiques) de l'église Saint-Jacques-de-la-Boucherie, soit qu'elle bénéficie de la légende des retours de Flamel à Paris après sa mort. »

Au temps où l'immense église Saint-Jacques se dressait au centre du quartier de la boucherie, la voie qui la longeait à l'est ne s'appelait pas encore rue Saint-Martin mais rue Planche-Mibray près de la Seine puis rue des Arcis jusqu'à la rue de la Verrerie. En juin 1848, la barricade de la rue Planche-Mibray était commandée par un cordonnier de soixante ans nommé Voisambert[28].

Après la rue de Rivoli, la rue Saint-Martin conduit sur un autre champ de bataille, celui où se déroula l'épilogue de l'insurrection des 5 et 6 juin 1832. Le soulèvement, parti de l'immense foule rassemblée derrière le cercueil du général républicain Lamarque, avait été réduit dans la nuit du 5 juin et au matin du 6. Le dernier carré des insurgés s'était retranché dans une véritable forteresse au cloître Saint-Merry. Pour comprendre ce qui s'est passé là, il faut lire la lettre adressée à sa sœur par Charles Jeanne, le chef des insurgés[29]. Le centre de leur redoute était une maison au 30 de la rue Saint-Martin avec autour un système de trois barricades, « la première à l'encoignure de la rue Saint-Merry coupant à angle droit la rue Saint-Martin ; la seconde, prenant la première aussi à angle droit, barrait la rue Aubry-le-Boucher ; enfin la troisième, élevée au coin de la rue Maubuée, laissait cette dernière à l'intérieur de nos retranchements ». À plusieurs reprises, la garde nationale est repoussée en laissant des morts par dizaines sur le carreau (« Ce n'était plus un corps discipliné mais bien une nuée de cosaques en déroute complète ») et c'est seulement l'artillerie, tirant à la fois par la rue Aubry-le-Boucher et dans l'enfilade de la rue Saint-Martin depuis Saint-Nicolas-des-Champs, qui vient à bout de la forteresse. Jeanne et une dizaine des siens réussissent à se frayer un chemin à la baïonnette à travers la troupe des assaillants. Ce 6 juin, le canon fut utilisé pour la première fois contre le peuple à Paris – les canuts lyonnais en avaient déjà fait l'expérience l'année précédente.

Cette insurrection suscita l'intérêt et même la passion de beaucoup d'écrivains de l'époque, alors que les événements de juin 1848, pourtant bien plus menaçants pour le système en place et bien plus meurtriers, n'auront aucun écho littéraire sur le moment – silence du refoulement[30]. La raison de cette différence de traitement me semble claire : alors que les hommes de juin 1848 sont, on l'a vu, des prolétaires anonymes n'intéressant personne, on trouve au contraire parmi les combattants de juin 1832 nombre d'étudiants, de fils de la bourgeoisie en place, comme l'indique l'ironique ouverture de *Lucien Leuwen* : « Lucien Leuwen avait été chassé de l'École polytechnique pour s'être allé promener mal à propos, un jour qu'il était consigné, ainsi que tous ses camarades : c'était à l'époque d'une des célèbres journées de juin, avril ou février 1832 ou 1834. » Lucien était le fils chéri d'un grand banquier parisien qui « donnait des dîners de la plus haute distinction, à peu près parfaits, et cependant n'était ni moral, ni ennuyeux, ni ambitieux, mais seulement fantasque et singulier, il avait beaucoup d'amis ». (Question connexe : pourquoi Stendhal a-t-il choisi *Leuwen*, un nom juif – Lévy

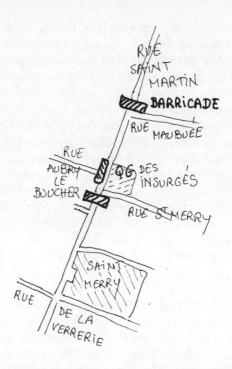

RUE SAINT MARTIN

BARRICADE

RUE MAUBUÉE

RUE AUBRY LE BOUCHER

QG DES INSURGÉS

RUE ST MERRY

SAINT MERRY

RUE

DE LA VERRERIE

à la sauce alsacienne –, pour des personnages dont rien dans le roman n'indique qu'ils le soient ? « Juif » et « banquier » étaient-ils à ce point liés dans les esprits ?)

Parmi ceux qui ont écrit sur l'insurrection de 1832, on pense d'abord au Hugo des *Misérables*, à la barricade de la rue de la Chanvrerie où meurt Gavroche, mais le livre est écrit trente ans après les événements. Sur le moment, le jeune Hugo est encore le réactionnaire qu'il restera jusqu'en juin 1848, date (et cause) du virage politique qui ira jusqu'à en faire le soutien des communards vaincus et pourchassés. Dans *Choses vues*, à la date du 6-7 juin 1832, on lit : « Émeute du convoi de Lamarque. Folies noyées dans le sang. Nous aurons un jour une république, et, quand elle viendra d'elle-même, elle sera bonne. Mais ne cueillons pas en mai le fruit qui ne sera mûr qu'en juillet ; sachons attendre. La république proclamée par la France en Europe, ce sera la couronne de nos cheveux blancs. Mais il ne faut pas souffrir que des goujats barbouillent de rouge notre drapeau. » Du juste milieu, pour dire le moins, contrastant avec ce qu'écrit Heine dans l'une de ses chroniques pour la *Gazette universelle d'Augsbourg* : « Ce fut le sang le plus pur de la France qui coula rue Saint-Martin, et je ne crois pas qu'on ait combattu plus vaillamment aux Thermopyles qu'à l'entrée des petites rues Saint-Méry et Aubry-le-Boucher[31]. »

Le plus glorieux des écrivains du temps, Chateaubriand, écrit au livre XXXVI des *Mémoires d'outre-tombe*, le 10 juin 1832 : « Le convoi du général Lamarque a amené deux journées sanglantes et la victoire de la quasi-légitimité sur le parti républicain. Ce parti incomplet et divisé a fait une résistance héroïque. On a mis Paris en état de siège : c'est la censure sur la plus grande échelle possible, la censure à la manière de la Convention, avec cette différence qu'une commission militaire remplace le tribunal révolutionnaire. On fait fusiller en juin 1832 les hommes qui remportèrent la victoire en juillet 1830 ; cette même École polytechnique, cette même artillerie de la garde nationale, on les sacrifie ; elles conquirent le pouvoir pour ceux qui les foudroient, les désavouent et les licencient. […] Allez maintenant avec les mères reconnaître les corps de ces décorés de Juillet, de qui vous tenez places, richesses, honneurs. » Admirable ! Le mépris de Louis-Philippe lui fait accepter le souvenir de la Convention – certains disent d'ailleurs que parmi les insurgés de juin on trouvait des partisans de Charles X et de la duchesse de Berry.

Dans les *Illusions perdues*, le seul républicain honnête et courageux de *La Comédie humaine*, Michel Chrestien, est tué sur la barricade de la rue Saint-Merry : « Ce gai bohémien de l'intelligence, ce grand homme d'État, qui eût peut-être changé la face du monde, mourut au cloître Saint-Merry comme un simple soldat. » Il est enterré au Père-Lachaise par ses amis du Cénacle qui ont pris le risque d'aller chercher son corps sur le champ de bataille.

De George Sand, il n'existe aucun livre contemporain des événements (elle y fera allusion dans des romans datant des années 1840 et dans *Histoire de ma vie*). Mais dans une lettre à Laure Decerfz, l'une de ses amies, datée du 13 juin 1832, elle écrit : « Découvrir sur la Seine au-dessous de la Morgue [elle habite quai Saint-Michel] un sillon rouge, voir écarter le foin qui recouvre à peine une lourde charrette, et apercevoir sous ce grossier emballage vingt, trente cadavres, ceux-ci en habit noir, ceux-là en veste de velours, tous déchirés, mutilés, noircis par la poudre, souillés de boue et de sang figé. Entendre les cris des femmes qui reconnaissent là leurs maris, leurs enfants, tout cela est horrible. »

Sur l'insurrection des 5 et 6 juin 1832, il est d'autres textes que ceux des gloires littéraires du moment. Dès septembre paraît chez Ambroise Dupont un roman intitulé *Le Cloître Saint-Méry*, œuvre d'un jeune auteur qui travaille pour le journal républicain *La Tribune*, Marius Rey-Dussueil : une histoire d'amour pendant l'insurrection. L'auteur est inculpé pour provocation à la guerre civile et au mépris du gouvernement royal. Il est acquitté en février 1833 mais le livre est lacéré par la justice.

Agénor Altaroche, qui n'a que vingt ans et n'est pas encore le poète-chansonnier qu'il deviendra, écrit un poème intitulé « 6 juin ! Deuil » qui commence ainsi : « Morts ! morts ! Ils ne sont plus, nos frères !/Le trépas a fermé leurs sanglantes paupières/Ils sont morts côte à côte, et tous frappés au cœur !/Voyez, voyez passer les grandes funérailles.../Entendez retentir sur les champs de bataille/Le cri féroce du vainqueur ! »

Un autre jeune homme, Hégésippe Moreau, qui mourra tuberculeux quelques années plus tard, écrit un long poème intitulé « Les 5 et 6 juin 1832 », où une strophe revient comme un refrain : « Ils sont tous morts, morts en héros,/Et le désespoir est sans armes ;/Du moins en face des bourreaux/Ayons le courage des larmes. »

Imaginons un instant que *l'insurrection qui vient* tourne mal : qui trouvera-t-on pour honorer ceux qui auront été fusillés ? Écartons cette mauvaise question.

La rue Saint-Merry n'existe plus qu'en pointillé dans la partie qui a servi de champ de bataille en 1832. On peut toutefois y observer un phénomène peu fréquent, la coexistence mitoyenne et même l'interpénétration entre un honnête bâtiment des années 1920 et un autre que l'on peut dire contemporain bien qu'il ait été construit il y a déjà cinquante ans : je veux parler des bains-douches municipaux du IVe arrondissement et de l'IRCAM de Renzo Piano, son premier chantier après Beaubourg. J'ignore si la conservation des bains-douches était une contrainte ou un choix de l'architecte. Quoi qu'il en soit, la façon dont l'IRCAM les a englobés et respectés, le soin mis à aligner les corniches de l'un et les ferrures de l'autre, l'intelligence de placer la façade la plus moderne face à la fontaine de Tinguely et Niki de Saint Phalle et non face à Beaubourg, le choix des matériaux, tout cela témoigne d'une modestie savante. Sur les matériaux : les petits blocs de terre cuite que Piano a utilisés pour l'IRCAM (je ne sais pas si l'on peut utiliser le terme de *briques*) ont la même couleur en plus vif et exactement la même épaisseur que les briques des bains-douches. « Nous avons soigné particulièrement l'insertion de la tour dans son contexte. Le rappel de Beaubourg est évident à travers la hauteur, la structure en acier apparente au sommet de la cage d'ascenseur et le réseau des supports en aluminium des verrières et du revêtement. La partie opaque, qui marque le coin de la place, est de la même couleur rouge brique que les bâtiments adjacents [les bains-douches]. Toutefois, il ne s'agit pas, ici, d'un mur visible, mais de panneaux de revêtement en terre cuite. L'élément en terre cuite, accroché à des barres masquées, est espacé par des éléments en aluminium qui constituent la seule partie visible de la fixation. Les éléments de la façade ressemblent naturellement aux briques voisines à cause de leur grain et de leur couleur. Pour accentuer cet effet, nous avons voulu qu'ils soient travaillés, incisés horizontalement, de façon à donner la même perception dimensionnelle. Un petit exemple d'attention artisanale à la décoration, qui contribue à resserrer le lien du bâtiment avec son environnement[32]. » Piano utilisera ce matériau à maintes reprises par la suite, notamment à Paris pour l'ensemble d'habitations de la rue de Meaux.

Était-il légitime de donner au Centre, au bâtiment de Piano et Rogers, le nom de Pompidou, si indiscutable pour la voie express rive droite ? Je dirais oui et non. Oui, car Pompidou a défendu la création d'un grand centre d'art contemporain sur les terrains libérés par la destruction des Halles, il a fait organiser un véritable concours – bien différent de la mascarade montée par Delanoë en 2002 pour la rénovation du site – et il s'est plié à la décision du jury. Et non, car le projet de Piano et Rogers n'avait rien pour lui plaire. Ses goûts artistiques étaient ceux d'un bourgeois de province lecteur du *Figaro Magazine* (son bureau décoré par Agam), et la personnalité des hippies vainqueurs du concours, arrivant à la cérémonie sans cravate, en pantalon court (Piano) et en chemise jaune (Rogers), n'était pas non plus de celles qu'il affectionnait[33]. C'est Jean Prouvé, président du jury, qui fut l'artisan du triomphe de ces deux parfaits inconnus âgés d'à peine plus de trente ans. Il y avait entre lui et eux une connivence au moins tacite : Piano et Rogers connaissaient et admiraient le travail de Prouvé, et le pionnier de l'architecture métallique ne pouvait qu'être séduit par leur audacieux Meccano, par l'écart qu'il représentait avec le style Beaux-Arts alors florissant (et qui n'a pas vraiment cessé de l'être, du reste).

Ce n'est pas de Pompidou qu'est venue l'opposition à réaliser le projet lauréat, mais du préfet. Piano et Rogers avaient eu l'idée, aussi importante pour eux que l'architecture elle-même, de ne pas utiliser la totalité de l'espace disponible : « Nous voulions créer un parvis, une sorte de clairière, dont l'animation serait complémentaire des activités proposées par le Centre [...] Sans badauds, sans cracheurs de feu et vendeurs à la sauvette, la place ne serait pas ce qu'elle est. C'est grâce à la place que le Centre appartient véritablement à la ville. » Creusée en conque comme à Sienne devant le Palais communal, la pente du parvis conduirait en douceur vers les portes du Centre. Il fallait pour cela que le segment correspondant de la rue Saint-Martin soit rendu piétonnier, mais « au début des années 1970 la voiture était reine à Paris. Il n'y avait pas de rues piétonnes et les pouvoirs publics autorisaient la circulation et le stationnement à peu près partout. La préfecture de Paris était particulièrement hostile au projet consistant à rendre la rue Saint-Martin piétonne devant le Centre. Se prolongeant par la rue Saint-Jacques, la rue Saint-Martin formait l'axe nord-sud de la capitale qu'il ne pouvait être question d'interrompre en l'interdisant à la circulation. "La rue Saint-Martin est la plus longue rue de Paris, nous répétait le préfet. Vous ne pouvez pas couper la plus longue rue de Paris, c'est impossible !" ».

Le grand bâtiment, inauguré en 1977, a longtemps été un endroit populaire. Personne ne surveillant l'entrée, on croisait dans le hall toutes sortes d'êtres humains, canette de bière à la main éventuellement, et les lascars d'outre-périphérique pouvaient prendre l'escalator pour admirer la vue sur Paris depuis le cinquième étage. C'était conforme à ce que voulaient les créateurs : « Que le Centre Pompidou comprenne un musée ou une bibliothèque n'est pas très important au fond. Il faut surtout que les gens se rencontrent, dans une certaine quotidienneté, sans devoir passer par un portillon, sans être contrôlés comme à l'usine. C'est pour favoriser les contacts, le mélange des genres, le chevauchement des activités que nous avons imaginé un jeu de construction, un Meccano géant surplombant la ville. » Lors de la rénovation du Centre en 2010-2012, on a mis bon ordre à tout cela : Vigipirate aide au triage des entrants, le hall a été réaménagé pour décourager toute flânerie, l'escalator n'est plus accessible qu'avec un billet pour les expositions et le restaurant du cinquième offre des plats dont le prix tourne autour de 30 euros. On est désormais entre gens de bonne compagnie.

Ce n'est peut-être pas là le pire recul par rapport aux desseins d'origine et au fonctionnement du Centre dans ses premières années. Comme bien d'autres, je me souviens des expositions montées à la fin des années 1970 par un néodadaïste suédois nommé Pontus Hulten. De *Paris-New York*, *Paris-Berlin*, *Paris-Moscou*, on sortait comme ivre, avec pour seul regret d'être déjà dehors. Depuis lors, le niveau des expositions du Centre a suivi une pente régulièrement descendante, aboutissant au moment où j'écris à célébrer l'œuvre de Jeff Koons, l'artiste le plus cher du monde grâce à ses lapins gonflables et ses petits cochons en sucre, ou à choisir comme thème pour l'exposition Le Corbusier « la mesure de l'homme », ce qui évitait tout débat tant sur les amitiés politiques du maître que sur ses plus discutables projets, comme le plan Voisin qui prévoyait la destruction de Paris[34]. On touche le fond ? Attendons de voir.

5

Au temps de Balzac, la minuscule rue de Venise, perpendiculaire à la rue Saint-Martin face au Centre, était bien plus longue qu'aujourd'hui, elle se terminait en impasse près de la rue Saint-Denis à laquelle elle était reliée par la cour Batave. Cette série de trois cours, fameuse à l'époque, est décrite par Balzac dans *César Birotteau*, qui se déroule en partie aux Halles et aux alentours. « Cette construction claustrale, à arcades et galeries intérieures, bâtie en pierres de taille, ornée d'une fontaine au fond, une fontaine altérée qui ouvre sa gueule de lion moins pour donner de l'eau que pour en demander à tous les passants, fut sans doute inventée pour doter le quartier Saint-Denis d'une sorte de Palais-Royal. Ce monument, malsain, enterré sur ses quatre lignes par de hautes maisons, n'a de vie et de mouvement que pendant le jour, il est le centre des passages obscurs qui s'y donnent rendez-vous et joignent le quartier des Halles au quartier Saint-Martin par la fameuse rue Quincampoix, sentiers humides, où les gens pressés gagnent des rhumatismes. Il y a là plusieurs cloaques industriels, très peu de Bataves et beaucoup d'épiciers. »

En ligne droite, en marchant bon train, il ne faudrait pas plus d'un quart d'heure pour aller de Beaubourg aux grands boulevards, mais mieux vaut cheminer lentement pour bien percevoir la succession des strates entre ce qui reste des vieilles Halles et le carrefour Strasbourg-Saint-Denis – un concentré d'histoire de Paris.

La rue Quincampoix est un bon départ. Son bâti n'a pas beaucoup changé depuis le temps de la Régence, où l'Écossais John Law y avait établi sa banque et mis en œuvre le fameux « principe » qui lui permit de passer du statut d'aventurier à celui de surintendant des Finances du royaume : l'émission de papier-monnaie contre de l'or. Le Régent, devant la menace de banqueroute du Trésor royal (la dette équivalait à dix années de rentrées fiscales), avait autorisé Law à émettre des quantités de papier-monnaie très supérieures à la couverture en or. Si bien qu'en 1720 le système s'écroula quand il apparut que le fameux papier ne valait plus rien. D'après la légende, un bossu de la rue Quincampoix louait sa gibbosité comme table à ceux qui se pressaient pour souscrire des actions de la banque de Law au temps de sa splendeur.

L'hôtel de Beaufort, siège des entreprises de Law, a disparu lors du percement de la rue Rambuteau qui conduit vers la rue Saint-Denis. Rambuteau, préfet de la Seine sous Louis-Philippe, a ouvert cette rue qui porte donc à juste titre son nom, et entrepris d'importants travaux dans la ville, dont la généralisation de l'éclairage au gaz et le nivellement des grands boulevards. C'est à lui que l'on doit ces beaux canyons surplombés par les trottoirs, boulevard du Temple et boulevard Saint-Martin.

Rue Saint-Denis, au débouché de la rue Rambuteau, on retrouve Auguste Blanqui. Nous avions quitté un très vieil homme à sa dernière demeure sur le boulevard qui porte son nom. Ici, c'est un étudiant de vingt-quatre ans qui reçoit son baptême du feu. Dans la nuit du 19 novembre 1827, après la victoire électorale de l'opposition à Paris, des jeunes, des *casseurs*, lancent des pierres dans les fenêtres, caillassent le poste de police de la rue Mauconseil et dressent des barricades de planches et de pavés à hauteur de l'église Saint-Leu, du passage du Grand-Cerf, de la rue Greneta. Les mêmes voyous réitèrent leurs méfaits la nuit suivante et le préfet de police doit envoyer la troupe pour rétablir l'ordre. Elle tire, on relève quatre morts et, parmi les blessés, le jeune Blanqui atteint d'une balle dans le gras du cou, plaie sans gravité que sa mère soignera. Le préfet conclut : « Ces événements ont inspiré dans le quartier une crainte salutaire qui préviendra, il faut l'espérer, le retour de semblables désordres. » Cet espoir, faut-il le dire, ne sera pas comblé[35].

À vrai dire, la tradition émeutière était déjà bien ancrée dans la rue Saint-Denis. En 1709, année de disette à la fin du règne de Louis XIV, Saint-Simon raconte : « Il arriva que le mardi matin, 20 août, le pain manqua sur un grand nombre de points. Dans le quartier Saint-Denis, une femme cria fort haut, ce qui en excita d'autres. Les archers préposés à la distribution menacèrent cette femme, qui n'en cria que plus fort. Ils la saisirent et la mirent à un carcan du voisinage. En un moment, tout l'atelier du Boulevard accourut, arracha le carcan, courut les rues, pilla les boulangers et les pâtissiers ; de main en main, les boutiques se ferment. Le désordre grossit et gagna les rues de proche en proche, sans actes de violence, on réclamait du pain et on en prenait partout[36]. »

Les soirées de novembre 1827 apparaissent comme une répétition générale avant la révolution de juillet 1830. Le 28 de ce mois, deuxième jour des Trois

Glorieuses, une colonne partie du marché des Innocents fut chargée de nettoyer le quartier en remontant la rue Saint-Denis jusqu'à la porte. La tâche n'était pas simple : « Le bataillon, armé de deux pièces d'artillerie que les difficultés de passage, l'étroitesse de la rue rendaient inutiles, trouva tout de suite, en sortant de la place des Innocents, les plus sérieuses difficultés. Il fut rapidement séparé du reste de la colonne par des barricades élevées sur le derrière ; entravé par celles qu'il trouvait devant ses pas, harcelé par le tir incessant provenant des fenêtres de la rue Saint-Denis. Au niveau de la rue Batave, il y avait surtout une barricade formidable. Le bataillon la franchit pour tomber sous le feu des émeutiers massés derrière les grilles de la cour Batave, dont toutes les fenêtres étaient autant d'emplacements de tir[37]. » La rue était barrée d'une bonne trentaine de barricades (Paris en comptait dans ces mémorables journées plus de 4 000).

Lors des nombreuses émeutes et insurrections sous la monarchie de Juillet, on retrouve à chaque fois la rue Saint-Denis en ébullition. En juin 1831, au cours du sac de l'archevêché : « Le 17, 1 200 hommes de troupe sont sur pied, mais on ne peut se fier à eux. Il y en a qui ne sont pas rentrés à la caserne depuis plusieurs jours ; ils restent dans les cabarets des rues Saint-Martin et Saint-Denis à boire avec les mutins et sont dans un état continuel d'ivresse. Vers 9 heures du soir, charges de cavalerie dans la rue Neuve-Saint-Denis et les rues environnantes. Il y eut de nombreuses arrestations[38]. » La même année, le 7 septembre, « Varsovie venait d'être prise par les Russes et réduite à la capitulation. Lorsque la triste nouvelle arriva dans la capitale, le peuple se souleva et les troubles révolutionnaires toujours latents reprirent avec une intensité particulière. La foule se porta devant l'hôtel du ministre des Affaires étrangères aux cris de "Vive la Pologne !", "À bas les ministres !". Dispersés par les dragons, les émeutiers se transportèrent à la porte Saint-Denis, quartier général de l'émeute ».

Le quartier Saint-Denis se soulève lors de l'épidémie de choléra de 1832, puis pendant l'insurrection qui suit, on l'a vu, le cercueil du général Lamarque en juin de la même année, et une nouvelle fois au cours de l'émeute après le vote de la loi de février 1834 restreignant la liberté de la presse (le massacre de la rue Transnonain eut lieu au cours de cette émeute-là). L'insurrection de mai 1839 menée par la Société des saisons (Blanqui, Barbès, Voyer d'Argenson, Laponneraye) a son centre névralgique rue Grenéta.

À côté de ces événements « historiques » où la rue Saint-Denis tient toujours les grands rôles, le quartier se souleva aussi lors d'émeutes miniatures, brèves, anonymes, oubliées : « Le 12 septembre 1841, vers 8 heures du soir, un rassemblement d'environ 300 individus âgés de 16 à 20 ans, vêtus de blouses, stationne sur la place du Châtelet en poussant les cris de "À bas Louis-Philippe !", "Vive la République !", "À bas Guizot !". Le service d'ordre parvient à les disperser après des collisions sérieuses au cours desquelles un officier de paix fut grièvement blessé. De la place du Châtelet, le rassemblement se dirige par les rues Saint-Denis, Mauconseil, du Ponceau, Saint-Martin, vers le boulevard Saint-Martin en poussant des vociférations. Quelques magasins de nouveautés furent pillés sur le passage. On s'empara d'étoffes rouges pour faire des drapeaux avec des bâtons pris dans les loges de concierge[39]. » Le drapeau rouge avait fait son apparition du côté de l'émeute lors des journées de juin 1832, belle inversion de sens puisqu'il était jusque-là le signe qui annonçait la proclamation de la loi martiale.

Entre la rue Rambuteau et la porte monumentale où elle se termine, la rue Saint-Denis n'a pas tout du long le même style architectural ni la même ambiance. Dans un premier segment, jusqu'au grand carrefour avec la rue Étienne-Marcel et la rue Turbigo, elle est encore bruyante et agitée, les fast-foods voisinent avec la fripe et les boutiques d'accessoires érotiques. Des immeubles du XIXe siècle rompent la continuité des bâtiments anciens. L'église Saint-Leu-Saint-Gilles, qui date du XIVe siècle, a subi bien des malheurs qui en ont fait un édifice assez dépourvu de grâce. Pendant la Révolution, le 29 brumaire an II, la section des Lombards envoya une adresse à la Convention annonçant « qu'elle ne reconnaît plus d'autre divinité que la Raison et qu'elle apporte les trésors de la superstition, amassés par le cagotisme, qui serviront mieux à consolider la République qu'à orner le mensonge[40] ». À la suite de quoi l'église devint un dépôt de salaisons pour les charcutiers du quartier. Restaurée dans ses fonctions, son chevet débordait malencontreusement sur le trajet du boulevard Sébastopol. Chargé d'y remédier, Victor Baltard démolit trois chapelles de l'abside et ferma l'église de ce côté par un mur plat néo-Renaissance qui a le mérite de ne pas se faire remarquer.

Entre la rue Turbigo et la rue Réaumur, tout change. Les immeubles se succèdent avec une régularité, un calme, je dirais même une douceur qui fait de cette partie un havre, un repos des yeux. La plupart d'entre eux ont été construits sous l'Empire, la Restauration et la monarchie de Juillet, bref dans la première moitié du XIXe siècle. Les ordonnances d'alignement prises alors, les nouveaux terrains disponibles – propriétés ecclésiastiques devenues biens nationaux pendant la Révolution et loties par la suite – expliquent que la rue ait été rénovée à cette époque. Tous les immeubles ont des traits communs qui donnent une sensation d'harmonie régulière : leur hauteur – quatre étages –, leurs fenêtres étroites et sans persiennes, leurs façades plates sans balcons et presque sans décor, l'alignement des corniches et leur crépi enfin, de ce blanc légèrement crème qui est la vraie couleur de la ville – à côté du gris de la pierre nue dont j'ai parlé plus haut. C'est d'ailleurs un miracle que les générations de maçons qui se sont succédé sur les échafaudages, des Creusois aux Maliens, aient su conserver cette couleur. J'avance là entre des commerces parisiens traditionnels, quelques beaux vieux cafés, un tabac, des primeurs, un caviste, plusieurs merceries et boutonneries – on est au bord du Sentier. La population n'est pas bourgeoise ni uniformément blanche : des manutentionnaires, des « garçons de boutique » comme dit le rapport de police rédigé après l'insurrection de 1827, des ouvriers du bâtiment, et déjà des travailleuses du sexe qui seront plus nombreuses à mesure qu'on approchera de la porte.

Plusieurs passages relient ce segment de la rue Saint-Denis aux rues avoisinantes : l'étroit et tortueux passage de la Trinité menant à la rue de Palestro, construit sur le terrain de l'hôpital des Enfants-Bleus (bleus par leur costume et non par l'une de ces cardiopathies cyanogènes dont la cure chirurgicale a longtemps été ma tâche habituelle), le petit passage Basfour, et surtout la merveille locale, celle qui attire quelques touristes : le passage du Grand-Cerf. Couvert vers 1825, il était jusque-là l'issue de l'hôtellerie du Grand Cerf vers la rue Saint-Denis. De cette hôtellerie partaient des diligences, coches et carrosses vers des villes au nord de Paris. Dans les premières pages d'*Un début dans la vie*, Balzac décrit un établissement de ce genre (situé, il est vrai, un peu plus haut, à l'angle de la rue du Faubourg-Saint-Denis et de la rue d'Enghien) : « L'hôtel du Lion d'argent occupe un terrain d'une grande profondeur. Si sa façade n'a que trois ou quatre croisées sur le faubourg Saint-Denis, il comportait alors, dans sa longue cour au bout de laquelle sont les écuries, toute une maison plaquée contre la muraille d'une propriété mitoyenne. L'entrée formait comme un couloir sous les planchers duquel pouvaient stationner deux ou trois voitures. » Mais dès les premières lignes, Balzac nous a prévenus : « Les chemins de fer,

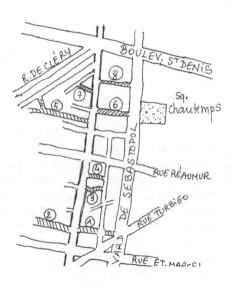

dans un avenir aujourd'hui peu éloigné [le livre date de 1842], doivent faire disparaître certaines industries, en modifier quelques autres, et surtout celles qui concernent les différents modes de transport en usage pour les environs de Paris. Aussi, bientôt les personnes et les choses qui sont les éléments de cette Scène lui donneront-elles le mérite d'un travail archéologique. » Il avait raison, et il est en effet difficile d'imaginer ce qu'était la rue Saint-Denis dans les années 1840 : le grand axe de circulation nord-sud de Paris, avec la rue Saint-Martin. Elle était parcourue par quantité d'omnibus tirés par des chevaux, appartenant à différentes compagnies, les Tricycles, qui assuraient la liaison Place des Victoires-Bastille, les Diligentes, celle de la rue Saint-Lazare à Charenton, les Citadines, de la place des Petits-Pères à Belleville, les Écossaises, de Notre-Dame-des-Victoires à la halle aux Vins…

Le Grand-Cerf a une verrière qui est, dit-on, la plus haute de tous les passages parisiens, ce qui lui permet d'avoir deux niveaux au-dessus des boutiques, le premier abritant les réserves des magasins et le second, des logements. (On lit parfois que Céline a passé là son enfance et que le Grand-Cerf est le modèle du passage des Bérézinas dans *Mort à crédit*, mais c'est du passage Choiseul qu'il s'agit.) Comme dans beaucoup de passages parisiens, les boutiques – meubles, bougies, bijoux, art africain – ne sont pas à la mode. Pourvu qu'ils restent comme ils sont, légèrement poussiéreux et un peu tristes.

Par le passage du Grand-Cerf puis la rue Marie-Stuart, je parviens rue Montorgueil, face à la pâtisserie Stohrer qui propose depuis le règne de Louis XV les macarons les plus exquis. C'est l'un des charmes de la grande ville : en moins de deux cents mètres, on est passé de la rue Saint-Denis, fragment populaire de l'ancien Paris, à la rue Montorgueil, l'une des plus fréquentées par une jeune bourgeoisie plutôt argentée et des touristes du monde entier.

Arrivant rue Réaumur, je suis frappé par un effet de frontière très net. Il n'est pas dû au fait que l'on passe là du Ier au IIe arrondissement – ces arrondissements ont une identité faible : « J'habite dans le Ve » est une phrase qui a un sens clair, mais personne ne dit « J'habite dans le IIe » mais plutôt « vers la Bourse » ou « derrière la Bibliothèque nationale ». Si la rue Réaumur constitue une frontière, c'est que ses deux rives sont à ce point différentes qu'en traversant la chaussée on saute d'un monde dans un autre. Du côté sud, c'est un panachage de tissu ancien, d'immeubles post-haussmanniens et d'éclectisme. L'immense Félix Potin, point d'orgue entre le boulevard Sébastopol et la rue de Palestro, apporte une touche Art nouveau avec sa rotonde octogonale surmontée d'un lanternon où on aimerait bien pouvoir monter. Il faudrait demander à Monoprix qui a remplacé ici la vénérable enseigne, encore bien présente partout dans les années 1980. On doit d'ailleurs à Félix Potin un autre grand bâtiment Art nouveau, l'une des rares beautés de la rue de Rennes.

On a donné à la contre-allée qui borde ce côté sud de la rue Réaumur le nom de Pierre Lazareff. Le titre *France-Soir*, dont le dernier propriétaire était un oligarque russe, a fini par disparaître et je peux donc dire sans nuire à quiconque ce qu'a représenté ce journal. Sous la direction de Pierre Lazareff, sous la tutelle de Hachette, *France-Soir* s'affirmait comme « le seul quotidien français tirant à plus d'un million », avec le même rôle qu'aujourd'hui TF1 : œuvrer au décervelage du plus grand nombre tout en gagnant le plus d'argent possible. C'était un journal docile à tous les pouvoirs, où une seule rubrique sauvait l'honneur, les mots croisés de Max Favalelli. Que Lazareff passe aujourd'hui pour un grand journaliste, c'est un effet collatéral du culte des années 1960, sommet des « Trente Glorieuses », âge d'or auquel l'idéal est, nous dit-on, de revenir un jour – alors que les années gaullistes furent celles du conformisme et de l'ennui d'un côté, et de l'autre celles de la guerre et de la brutalité policière, ignominies que Pierre Lazareff et *France-Soir* ont couvertes avec une quotidienne servilité.

La rive nord de la rue Réaumur est aussi rectiligne, homogène et massive que le sud est composite et fantaisiste. Elle est faite d'une série régulière de longs bâtiments d'un style qu'on pourrait dire monumental-marchand, les plus anciens datant de 1900 et les plus récents des années 1930, quand le textile était une industrie florissante : sur la rue, des boutiques, et dans les deux ou trois niveaux supérieurs des ateliers et des entrepôts. Certains de ces édifices sont des réussites, comme les deux immeubles à rotonde et coupole encadrant majestueusement l'entrée de la rue Dussoubs. (Denis Dussoubs, député à la Législative sous la IIe République, tué sur la barricade Mauconseil le 4 décembre 1851 au cours de la résistance au coup d'État de Louis Bonaparte. Victor Hugo raconte sa mort héroïque dans *Histoire d'un crime*[41].)

Au-delà de la rue Réaumur, la rue Saint-Denis change à la fois de bâti et d'atmosphère. On trouve encore de nombreux immeubles semblables à ceux décrits plus haut, mais l'alignement n'est pas respecté et il s'y mêle du post-haussmannien, plus élevé et souvent en retrait. Le prêt-à-porter se fait envahissant et les travailleuses du sexe plus nombreuses. (J'utilise ce terme depuis que nous avons publié à La Fabrique Thierry Schaffauser, qui exerce ce métier et souvent dans ce quartier[42].)

Les vestiges historiques de ce segment de la rue Saint-Denis sont virtuels : le franchissement de l'enceinte de Charles V juste avant d'arriver au boulevard (celle de Philippe Auguste a été traversée à hauteur de la rue Étienne-Marcel) ; le souvenir du grand couvent des Filles de l'Union chrétienne à l'angle de la rue de Tracy, où l'effigie d'un Michelet souriant, en bas-relief et en pied, rappelle que son père avait installé son imprimerie dans l'église de la confrérie et que Jules y naquit en 1798.

Les passages sont nombreux et variés. Le passage Sainte-Foy, très étroit et sombre, est souvent occupé par des dames qui ne souhaitent pas être dérangées dans leurs activités. Le misérable passage du Ponceau débouche sur le boulevard Sébastopol face au square Émile-Chautemps, sénateur radical de la IIIe République à qui l'on a dédié l'un des plus beaux squares parisiens du XIXe siècle. Les deux bassins ornés de sculptures les unes mythologiques et les autres « bien de l'époque » (l'Agriculture, l'Industrie), les balustrades de fonte parfaitement dessinées au bord des pelouses, les bancs de bois tout simples, les cabanes des jardiniers, les grands marronniers, le cadre spacieux entre le Conservatoire des arts et métiers et la façade de la Gaîté-Lyrique, cet ensemble est une halte idéale dans un quartier qui n'en compte pas beaucoup. J'ai fait plus haut une sorte de hit-parade des squares parisiens des années 1930. Parmi ceux des années 1850, dus pour la plupart à l'équipe Davioud-Alphand, les réussites sont aussi nombreuses, comme le square Louvois, en face de la Bibliothèque nationale, le square Montholon, rue La Fayette, ou le square Paul-Painlevé, entre la Sorbonne et le musée de

Cluny. Avec leurs vieux arbres, leurs fontaines, leurs statues, leurs pelouses (défendues), ce sont des lieux démodés et paisibles, accueillants pour le déjeuner des étudiants comme pour la cigarette du retraité.

Dans ce segment de la rue Saint-Denis, les cours me rappellent celles du Marais de mon enfance, noires, sales, encombrées de charrettes, d'appentis à toits de tôle, de fourgonnettes – les mêmes cours sur lesquelles donnent aujourd'hui des appartements parmi les plus chers, des boutiques parmi les plus élégantes de la ville. Ici, la décrépitude est moins marquée – le ravalement obligatoire est passé par là – mais le contraste est le même entre la noblesse des pierres et les activités tout à fait plébéiennes.

Entre la rue du Caire et la rue d'Alexandrie, la rue Saint-Denis borde le passage du Caire, doyen des passages parisiens, ouvert en 1799 au lendemain du retour d'Égypte de l'expédition de Bonaparte. L'égypto-manie d'alors se lit ici dans le nom des rues – Alexan-drie, Damiette, Aboukir, Le Caire – et dans la superbe façade de l'entrée principale, place du Caire, ornée de trois têtes de la déesse Hathor. Le passage du Caire n'est pas seulement le plus ancien, il est aussi totalement dif-férent de tous les autres passages parisiens. Qu'ils soient plutôt chics, comme les passages Véro-Dodat, Colbert, Vivienne, ou populaires comme les passages Choiseul ou Jouffroy, ce sont des lieux pour flâner, acheter de la bimbeloterie ou des livres, prendre un café – bref, comme dit Walter Benjamin, « le passage n'est que la rue lascive du commerce, propre seulement à éveiller les désirs[43] ». Le passage du Caire n'est rien de tout cela. Il n'est pas fait pour la promenade et l'on n'y croise aucun touriste. Son activité est le commerce en gros de tissus,

de prêt-à-porter et de matériel pour vitrines – manne-
quins, portants, décorations et emballages, ce qui n'est
pas si loin de ses activités d'origine, l'impression de
calicots. Il est solidement tenu par les sépharades et
l'unique café-restaurant, Le Beverly, informe qu'il est
sous le contrôle des Loubavitch. L'intérêt de ce passage
n'est pas dans ses vitrines mais dans son architecture,
ses verrières, sa distribution compliquée : bien que son
plan d'ensemble soit rectangulaire, ses galeries sont
disposées en étoile et il n'a pas moins de six entrées, sur
la place du Caire, la place d'Alexandrie, la rue du Caire
(au nombre de trois) et la rue Saint-Denis. Devant ces
entrées se tiennent dès le matin des Pakistanais et des
Sri-Lankais, appuyés sur leur diable, attendant d'être
loués à la course ou à l'heure pour charger des camions

ou déménager des stocks. C'est le client qui fixe le prix et la négociation n'est évidemment pas simple pour ces néo-esclaves dont beaucoup n'ont sans doute pas de papiers.

Rue du Caire, je me souviens d'avoir eu un jour une sorte d'hallucination en voyant au loin une rosace gothique dont la présence était inexplicable, presque inquiétante. Cloué sur place, il me fallut un moment pour comprendre : ce que j'apercevais, c'était Saint-Martin-des-Champs, c'était le Conservatoire des arts et métiers, pas loin à vol d'oiseau mais à une telle distance mentale qu'il avait été impossible de l'identifier au premier coup d'œil. Chaque Parisien attentif a dans son répertoire visuel de telles bizarreries, dont la plus connue est, depuis la rue Laffitte, celle du Sacré-Cœur coiffant Notre-Dame-de-Lorette. Ce peuvent être de simples illusions d'optique, comme celle qui me trouble le matin quand je monte à La Fabrique par la rue du Général-Lasalle. Cette rue, en forte pente, s'abouche dans la rue Rébeval à angle obtus, détail décisif pour ce qui suit. Sur le côté opposé de la rue Rébeval, en face quand on monte, s'élève un garage de cinq étages, crépi en blanc sur la rue et revêtu de brique rouge sur le mur pignon, qui est vu légèrement de biais. Et voici l'étrange : l'angle que forment ces deux murs du garage n'apparaît pas droit, il n'obéit pas aux règles de la perspective fixées par Brunelleschi, Alberti et Piero della Francesca. Le dernier étage, qui émerge au-dessus des bâtiments voisins, apparaît plutôt comme l'un de ces édicules de guingois où Giotto installait ses scènes sacrées. Puis, quand le mur blanc n'est plus illuminé par le soleil matinal, tout revient dans l'ordre.

Dans leur ultime portion avant les boulevards et les portes, la rue Saint-Denis, le boulevard Sébastopol et

la rue Saint-Martin progressent ensemble dans un vallon encadré par deux hauteurs. Des rues en pente quittent le fond pour gagner les sommets de ces éminences : du côté Saint-Martin, la rue Meslay, et du côté Saint-Denis, la rue de la Lune, la rue Chénier et les escaliers de la rue des Degrés. Pourtant, aucun cours d'eau n'a creusé ici son lit. Ce relief n'a rien de naturel, il est entièrement lié à l'activité humaine. De Charles V à Louis XIV, Paris était entouré d'un mur fortifié qui suivait le trajet des boulevards actuels depuis la Bastille jusqu'à la porte Saint-Denis, et s'infléchissait ensuite vers le Louvre, en ligne droite, par les rues de Cléry et d'Aboukir (le fort décalage de hauteur entre ces deux rues est lié au rempart : la rue de Cléry, la plus élevée, répond à son sommet et la rue d'Aboukir à son fossé). Dans les années 1670, Louis XIV décida d'abattre cette muraille et de la remplacer par un boulevard planté d'une double rangée d'arbres, faisant le tour de la ville. Colossal chantier car le mur était haut et épais, encore renforcé à la fin du XVIᵉ siècle par les ligueurs qui défendaient Paris contre les troupes royales. La quantité de gravats était énorme et il n'était pas question de les transporter au loin avec les moyens de l'époque. C'est leur accumulation qui forme aujourd'hui les collines autour du carrefour Strasbourg-Saint-Denis. Celle de l'ouest s'est d'ailleurs longtemps appelée « la butte aux Gravois » et c'est sans doute à l'instabilité de son sous-sol artificiel que le clocher de Notre-Dame-de-Bonne-Nouvelle doit son petit air penché.

La pente de la rue Meslay était encore, il y a peu, le domaine presque exclusif de la chaussure, qui a légèrement reculé devant le prêt-à-porter mais reste présente dans cette rue populaire. Au sommet, les escaliers du joli passage du Pont-aux-Biches descendent vers la rue Notre-Dame-de-Nazareth où les épiceries fines, les boutiques de vêtements pour enfants, les galeries de design, les coiffeurs élégants sont autant de signes de l'embourgeoisement rampant du quartier dans sa partie confinant au Marais. Troisième de ces parallèles, la rue du Vert-Bois a échappé de peu à un désastre. Un homme très riche avait le projet d'en faire la rue la plus chic, la plus chère de Paris. Il avait acheté nombre de boutiques pour y installer des galeries et des restaurants de luxe. Aux dernières nouvelles, ce projet a échoué, mais beaucoup de devantures d'anciennes drogueries, boulangeries ou merceries sont toujours closes derrière des grilles et la rue en est comme désolée.

Sur l'autre rive du vallon, du côté Saint-Denis, la rue Poissonnière, la rue de Cléry et le boulevard de Bonne-Nouvelle limitent une colline très particulière. Certes, elle fait géographiquement partie du Sentier mais les rues du début du XVIIe siècle sont si étroites que les camions de livraison y circulent difficilement, d'où un certain calme dans cette région encombrée et bruyante. L'effilement de la maison d'André Chénier entre la rue de Cléry et la rue Beauregard – aussi souvent photographié peut-être que le Flatiron Building à l'angle de Broadway et de la Cinquième Avenue –, la toute simple église où ont lieu les funérailles de la douce Coralie à la fin des *Illusions perdues*, les échoppes au ras du trottoir rue Notre-Dame-de-Recouvrance, la vue plongeante sur la porte Saint-Denis depuis la rue de la Lune : un tout petit triangle, à peine un quartier mais où chaque pierre porte un souvenir, comme celui de Jeanne Poisson, née rue de Cléry, qui deviendra marquise de Pompadour.

Au-delà de la rue Poissonnière, je pénètre au cœur du Sentier, puis, par les rues des Jeûneurs et du Croissant, dans ce qui était encore il y a trente ans le quartier de la presse. De *L'Humanité* au *Figaro*, tous les journaux avaient là leur rédaction et leur imprimerie – seul *Le Monde* faisait bande à part rue des Italiens. Dès que l'encre était sèche, les livreurs s'égaillaient dans toutes les directions sur leurs vélos à gros porte-bagages à l'avant, chargés de piles impressionnantes. (Plus tard, ils roulaient en motos BMW avec les journaux dans le side-car.) Sur un grand immeuble de la rue du Croissant, une plaque au-dessus de la porte, *Imprimerie de la Presse*, est le seul vestige de ce monde où les camions transportant les rouleaux de papier pour les rotatives provoquaient de mémorables embouteillages.

Lors des journées de juin 1848, les premiers coups de fusil sont tirés à la porte Saint-Denis. Cet épisode est relaté par deux contemporains qui ne sont pas des témoins visuels – sauf erreur, aucun des participants n'a laissé de trace écrite – mais leurs récits concordent. Le premier est Victor Hugo, qui fera partie des soixante représentants du peuple chargés de remonter le moral des troupes. *Choses vues*, samedi 24 juin : « La première barricade fut dressée le vendredi matin à la porte Saint-Denis ; elle fut attaquée le même jour. La garde nationale s'y porta résolument. C'étaient des bataillons de la première et de la deuxième légion. Quand les assaillants, qui arrivaient par le boulevard, furent à portée, une décharge formidable partit de la barricade et joncha le pavé de gardes nationaux. La garde nationale, plus irritée qu'intimidée, se rua sur la barricade au pas de course. En ce moment, une femme parut sur la crête de la barricade, une femme jeune, belle, échevelée, terrible. Cette femme, qui était une fille publique, releva sa robe jusqu'à la ceinture et cria aux gardes nationaux, dans cette affreuse langue de lupanar qu'on est toujours forcé de traduire : "Lâches, tirez, si vous l'osez, sur le ventre d'une femme !" Ici la chose devient effroyable. La garde nationale n'hésita pas. Un feu de peloton renversa la misérable. Elle tomba en poussant un grand cri. Il y eut un silence d'horreur dans la barricade et parmi les assaillants. Tout à coup une seconde femme apparut. Celle-ci était plus jeune et plus belle encore ; c'était presque une enfant, dix-sept ans à peine. Quelle profonde misère ! C'était encore une fille publique. Elle leva sa robe, montra son ventre et cria : "Tirez, brigands !" On tira. Elle tomba trouée de balles sur le corps de la première. Ce fut ainsi que cette guerre commença. » Hugo, on le voit, n'est pas encore le défenseur de la plèbe, celui qui écrira *Histoire d'un crime* trois ans plus tard.

Le second récit est celui de Daniel Stern, pseudonyme de Marie d'Agoult, marquise et compagne de Franz

Liszt. Elle aussi se situe du côté de l'ordre, mais l'on sent que c'est une femme qui écrit. « J'ai dit comment Pujol [importante figure de l'insurrection] avait fait construire à la hauteur de la porte Saint-Denis la première barricade. Elle était flanquée de deux autres qui fermaient l'entrée des rues de Mazagran et de Cléry. Un détachement d'une cinquantaine d'hommes environ, de la 2e légion, escortant les tambours qui battent le rappel, descendait le boulevard, sans se douter que les insurgés fussent si proches, lorsqu'il se voit inopinément en face de la barricade. Les gardes nationaux font signe de ne pas tirer, et continuent d'avancer jusqu'à quarante pas environ ; mais, soit qu'on n'ait pas compris leur signe, soit qu'on n'en tienne pas compte, une fusillade, partie de la terrasse d'une maison qui forme l'angle du boulevard de Bonne-Nouvelle et du faubourg Saint-Denis, les prend en écharpe ; une dizaine d'entre eux tombent morts ou blessés. […] Bientôt on voit arriver un bataillon de la 2e légion, commandé par le lieutenant-colonel Bouillon, et une compagnie de la 3e légion. Accueillis par un feu terrible, ils avancent résolument sur la barricade ; une seconde décharge les force à reculer. Une lutte s'engage ; on se bat corps à corps ; douze gardes nationaux sont tués ; une quarantaine d'autres blessés grièvement. Rien n'ébranle cependant les courages. Les gardes nationaux reviennent à la charge avec vigueur. Le chef des insurgés, qui, debout sur une voiture renversée, son drapeau à la main, commande le feu, est atteint mortellement. On croit le combat terminé ; mais au moment où le drapeau échappe au chef, une jeune fille, qu'on n'avait pas aperçue jusque-là, le saisit ; elle l'élève au-dessus de sa tête ; elle l'agite d'un air inspiré. Les cheveux épars, les bras nus, vêtue d'une robe de couleur éclatante, elle semble défier la mort. À cette vue, les gardes nationaux hésitent à faire feu ; ils crient à la jeune fille de se retirer ; elle reste intrépide ; elle provoque les assaillants du geste et de la voix ; un coup de feu part ; on la voit chanceler et s'affaisser sur elle-même. Mais une autre femme s'élance soudain à ses côtés ; d'une main elle soutient le corps sanglant de sa compagne, de l'autre elle lance des pierres aux assaillants. Une nouvelle décharge retentit ; la voici qui tombe à son tour sur le cadavre qu'elle tenait embrassé[44]. » Qui sait si les dames de la rue Blondel prendront part à l'insurrection le jour venu...

Le projet de boulevard circulaire dessiné par François Blondel et Pierre Bullet comportait la construction des portes Saint-Denis et Saint-Martin. Ce sont elles qui centrent et organisent aujourd'hui le carrefour Strasbourg-Saint-Denis. Le court boulevard Saint-Denis les relie, entre le boulevard Saint-Martin d'un côté et le boulevard Bonne-Nouvelle de l'autre. C'est l'un des deux territoires où exercent les travailleuses du sexe chinoises, l'autre étant le boulevard de la Villette dans le XIXe arrondissement.

Blondel, directeur du projet, s'était attribué la porte Saint-Denis, la plus grande et la plus ornée des deux, celle des cortèges royaux. Les bas-reliefs de François et Michel Anguier, qui ont pour thème les victoires de Louis XIV en Hollande, sont bien réussis, mais l'impression prévaut d'une énorme entreprise de flagornerie financée par les notables parisiens dans les années 1670. Je préfère pour ma part la porte Saint-Martin de Bullet, plus petite, moins solennelle, d'une pierre plus tendre où les bossages vermiculaires apportent une note presque italienne.

Toutefois, si l'œil se porte non plus sur la porte elle-même mais sur ce qui l'entoure, l'avantage me semble aller du côté de Saint-Denis. Non que les environs de la porte Saint-Martin soient sans attraits : les théâtres de la Renaissance et de la Porte-Saint-Martin ont de belles façades, la rue René-Boulanger leur sert de coulisse en un arc de cercle qui dessine un saillant de l'ancien rempart. Et la perspective s'étend au sud vers le clocher de Saint-Nicolas-des-Champs et au nord vers le beau profil de la mairie du Xe arrondissement et la verrière de la gare de l'Est.

Mais le cadre de la porte Saint-Denis a comme une noblesse naturelle, sans ordonnancement ni plan concerté. En un tour sur soi-même, les deux grands immeubles encadrant le débouché de la rue Saint-Denis, la magnifique balustrade de la rue de la Lune, la perspective du boulevard Bonne-Nouvelle inséparable du souvenir d'André Breton (« On peut, en attendant, être sûr de me rencontrer dans Paris, de ne pas passer plus de trois jours sans me voir aller et venir, vers la fin de l'après-midi, boulevard Bonne-Nouvelle entre l'imprimerie du *Matin* et le boulevard de Strasbourg[45] »), le demi-cercle en retrait où commence le faubourg, Le Petit Pot Saint-Denis qui eut pour client Gérard de Nerval, tous ces éléments que l'on peut trouver disparates composent pourtant un paysage où je sens toujours battre, dans le vacarme et les gaz d'échappement, l'un des cœurs de la ville.

Breton, Benjamin, Baudelaire, Nerval, Balzac, Chateaubriand, mes références manquent sans doute de variété. C'est peut-être lassant, mais je n'y peux rien, c'est ma famille de papier, qui en vaut bien une autre. (Elle compte d'autres membres, mais trop éloignés du trajet choisi, Diderot au Palais-Royal, Stendhal à Milan,

Mallarmé rue de Rome…) Leurs livres sont les plus usés de ma bibliothèque, leurs couvertures sont décolorées et leur dos si fatigué qu'ils tiennent ouverts tout seuls. Je sais si bien où ils sont rangés que je pourrais les trouver dans le noir. Les liens qui unissent cette famille composée ne sont pas seulement de nature littéraire, ils sont aussi politiques. Il peut sembler bizarre d'établir un tel lien entre Breton dont les sympathies allaient plutôt au trotskisme et ces défenseurs du trône et de l'autel qu'étaient Balzac et Chateaubriand. Ils avaient pourtant, en dehors de leurs opinions affichées, des traits communs essentiels : le respect du peuple et le mépris des « élites ». Chateaubriand n'a jamais oublié l'humiliation ressentie dans sa jeunesse quand, petit nobliau breton émigré à l'armée des princes, il dormait dans le fossé et voyait passer les brillants équipages de l'état-major. Pendant la révolution de 1830 où sombre la dynastie qu'il a tenté de sauver, il est enchanté d'être porté en triomphe par les étudiants « aux cris de Vive la Charte ! Vive la liberté de la presse ! Vive Chateaubriand[46] ! ». Et l'on a vu avec quel respect admiratif il parle des insurgés de juin 1832, alors qu'il tenait Charles X et son entourage pour des aveugles bornés. Quant à Balzac, on sent chez lui une vraie tendresse pour les pauvres, les déshérités, les laissés-pour-compte de la vie, alors que la dureté et la corruption des classes supérieures sont un thème essentiel tout au long de *La Comédie humaine*. Écoutons-le parler du plus bas de l'échelle sociale, des mendiants : « Ils font souvent sourire, mais font toujours penser. L'un vous présente la civilisation rabougrie, il comprend tout : l'honneur du bagne, la patrie, la vertu ; puis c'est la malice du crime vulgaire, et les finesses du forfait élégant. L'autre est résigné, mime profond, mais stupide. Tous ont des velléités d'ordre et de travail, mais ils sont repoussés dans leur fange par une société qui ne veut pas s'enquérir de ce qu'il peut y avoir de poètes, de grands hommes, de gens intrépides et d'organisations magnifiques parmi les mendiants, ces bohémiens de Paris[47]. » Ses héros préférés sont des marginaux, des femmes humiliées ou des saints et des saintes comme le bon juge Popinot de *L'Interdiction* ou Mme de La Chanterie dans *L'Envers de l'histoire contemporaine*. Ni chez Chateaubriand ni chez Balzac il n'est question de populace, de crapule, de masses alcooliques et feignantes. Certes, tous deux sont des hommes d'ordre et la compassion chrétienne n'est pas pour rien dans leur sentiment envers le peuple. Mais peu importe, jamais on ne rencontre chez eux ce mélange de mépris et de peur, ces « rancunes et ces aigreurs […], ces vieilles biles de Flaubert, des Goncourt, de Gautier », dont parle Sartre dans *Les Mots*[48]. On peut y voir une différence liée à l'époque, mais non : ces gens-là, ces convives des dîners Magny, avaient un contemporain, Baudelaire – qu'ils méprisaient comme de juste (« Baudelaire soupe à côté, sans cravate, le col nu, la tête rasée, en vraie toilette de guillotiné. Une seule recherche : de petites mains lavées, écurées, mégissées. La tête d'un fou, la voix nette comme une lame. Une élocution pédantesque ; vise au Saint-Just et l'attrape[49] »). Et chez Baudelaire, comme chez Saint-Just précisément (« Les malheureux sont les puissances de la terre »), c'est de l'amour qu'on lit pour les pauvres et les pauvresses, pour « Les Petites Vieilles » :

> Ruines ! ma famille ! ô cerveaux congénères !
> Je vous fais chaque soir un solennel adieu !
> Où serez-vous demain, Èves octogénaires,
> Sur qui pèse la griffe effroyable de Dieu ?

ou dans « Le Crépuscule du matin », pour

> Les pauvresses, traînant leurs seins maigres et froids, [qui]
> Soufflaient sur leurs tisons et soufflaient sur leurs doigts.
> C'était l'heure où parmi le froid et la lésine
> S'aggravent les douleurs des femmes en gésine...

ou encore pour ce père, dans « Les Yeux des pauvres », avec ses enfants devant le café étincelant éclairé au gaz, pour « Les Veuves » pauvres (« Il y a toujours dans le deuil du pauvre quelque chose qui manque, une absence d'harmonie qui le rend plus navrant. Il est contraint de lésiner sur sa douleur »). Ce n'est nullement un hasard si Baudelaire mettait Balzac au-dessus de tous les écrivains de son époque et si les Goncourt lui trouvaient une tête de fou.

6

En quittant les portes monumentales pour gagner la région des gares, on entre dans les faubourgs. S'agissant de Paris, ce mot est bizarre car si l'on admet que *fau* vient de *fors*, le propre d'un faubourg est d'être *hors* de la ville alors que les voies parisiennes portant ce nom sont sinon centrales, du moins largement incluses dans le périmètre urbain. Il s'agit bien sûr d'une question d'histoire. Au début du XVIIIe siècle, passé le boulevard planté d'arbres qui marque la limite de Paris, c'est la campagne, où les grandes rues parisiennes se prolongent par des chemins de terre bordés de parcelles maraîchères, de vignes et de moulins. Mais Paris est à l'étroit, si bien que tout au long du siècle ces chemins de terre sont pavés et servent de tuteurs à une urbanisation qui progresse à partir du centre malgré les ordonnances royales. Ce sont ces chemins qui vont former les faubourgs, hors des limites officielles de la ville jusqu'à la fin du règne de Louis XVI – d'où leur nom –, puis inclus dans Paris quand le mur des Fermiers-Généraux déplace d'un cran les limites urbaines. Paris qui s'arrêtait jusque-là à la Bastille, à la porte Saint-Martin et aux Tuileries, s'avance jusqu'à la barrière du Trône [place de la Nation] par le faubourg Saint-Antoine, à la barrière de la Villette [Stalingrad] par le faubourg Saint-

Martin, à l'Étoile par les Champs-Élysées. Le bond suivant, l'annexion des villages de la couronne en 1860 (Vaugirard, Passy, les Batignolles, Montmartre, Belleville, etc.), finira de rendre presque centraux les anciens faubourgs. Toutefois dans la littérature l'ambiguïté demeure : les faubourgs sont très présents chez Baudelaire (« Le faubourg secoué par les lourds tombereaux » dans « Les Sept Vieillards », « Au cœur d'un vieux faubourg, labyrinthe fangeux » dans « Le Vin des chiffonniers », les exemples abondent) sans que l'on sache jamais où il les situe. Bien plus tard, quand Eugène Dabit écrit *Faubourgs de Paris* (1933), il traite aussi bien de la rue de Ménilmontant que de Choisy-le-Roi ou même Montlhéry.

Depuis les portes Saint-Denis et Saint-Martin, la rue du Faubourg-Saint-Denis, le boulevard de Strasbourg et la rue du Faubourg-Saint-Martin sont presque parallèles – presque, car la rue du Faubourg-Saint-Denis s'écarte doucement pour gagner la gare du Nord alors que les deux autres tirent droit vers la gare de l'Est. Malgré le peu de distance entre elles, ces voies ont chacune leur identité, leur population et leur beauté propre.

La rue du Faubourg-Saint-Martin est claire, aérée, presque paisible malgré la circulation. Comme l'écrit Thomas Clerc dans son livre sur le Xe arrondissement, « tous les immeubles de cette belle rue non haussmannisée diffèrent les uns des autres – c'est le faubourg, avec sa courbe irrégulière, son esprit rebelle[50] ». Ce livre date de près de dix ans et la rue a changé : moins de grossistes en prêt-à-porter, beaucoup de boutiques fermées, davantage de couscous et de restaurants chinois, et des coiffeurs africains de plus en plus nombreux à mesure qu'on avance. Sur le trottoir de droite, Le Splendid, dont les heures glorieuses remontent aux années 1970, mène désormais une existence discrète. Plus loin, le passage du Marché s'ouvre à travers un immeuble d'un haussmannisme souriant grâce à son décor sculpté, et conduit à un coin agréable – un *coin*, moins qu'un quartier, plus qu'un carrefour, une placette bordée par le marché Saint-Martin, vilain bâtiment des années 1960, une caserne de pompiers et, faisant l'angle avec la rue du Château-d'Eau, une recommandable brasserie, Le Réveil du 10ᵉ.

Entre la caserne et la mairie du Xᵉ, la petite rue portant le nom de Pierre Bullet est aussi chaste que celle de son collègue Blondel, de l'autre côté de la porte Saint-Martin, est légère, vouée qu'elle est aux amours tarifées. La rue Pierre-Bullet bute sur la rue Hittorff, minuscule et terminée en une sorte d'impasse. Hittorff n'a pas été gâté par les conseillers municipaux parisiens, peut-être parce qu'il était « prussien ». Celui qui a aménagé la place de la Concorde et a eu l'idée de la centrer sur l'obélisque, qui a construit le cirque d'Hiver, le théâtre du Rond-Point des Champs-Élysées, l'église Saint-Vincent-de-Paul sur la rue La Fayette, la mairie du Vᵉ en pendant à la faculté de droit de Soufflot et ce chef-d'œuvre qu'est la façade de la gare du Nord, méritait mieux que cette minable ruelle.

La mairie du Xᵉ, construite dans les années 1890, est un bon point final de l'éclectisme du XIXᵉ siècle. Le parti est franc : un grand bâtiment néo-Renaissance française, néo-Chambord si l'on veut, plus cohérent et à mon sens plus réussi que la plupart des mairies parisiennes, de style indécis et souvent mollasson. Sur le trottoir opposé s'ouvre le passage du Désir dont le silence quasi monacal, les bâtiments bas et réguliers où alternent brique et pierre blanche font malgré son nom une sorte de béguinage parisien. Mais les fenêtres closes et les nombreuses façades grillagées font craindre les visées de quelque promoteur ou société d'économie mixte.

Après le croisement du boulevard Magenta, la rue du Faubourg-Saint-Martin s'élargit, s'évase entre le chevet de l'église Saint-Laurent à gauche et l'ancien couvent des Récollets, devenu Maison de l'architecture, à droite. De la grande place triangulaire devant la verrière orientale de la gare de l'Est, elle file vers la rotonde de la Villette.

Le boulevard de Strasbourg est loin d'être un banal couloir pour automobiles. Il faut avouer qu'il commence mal : sur ses quatre angles avec le boulevard Saint-Denis, deux sont occupés par des banques, le troisième par un KFC (Kentucky Fried Chicken, entreprise de fast-food dont le fondateur portraituré sur les enseignes ressemble à Trotski) et le quatrième, actuellement en travaux, laisse présager le pire. Mais très vite on rencontre le joli théâtre Antoine, dont le fronton triangulaire surplombe un décor de mosaïques de couleurs vives illustrant la Comédie, la Musique et le Drame. En face, à l'angle de la rue de Metz, se dresse l'un des plus beaux immeubles Art déco de Paris, que les ors des décorations en ailes de paon font scintiller au soleil.

Le boulevard coupe ensuite en deux une voie qui fut d'un seul tenant : à droite la rue Gustave-Goublier et à gauche le passage de l'Industrie, entièrement consacré aux produits capillaires, aux mèches et perruques, à la parfumerie. Il se termine sur une serlienne avant de déboucher sur la rue du Faubourg-Saint-Denis (*serlienne* : porte faite de trois baies, celle du milieu plus haute que les deux autres et surmontée d'un arc en plein cintre). Quelques mètres plus loin s'ouvre, des deux côtés du boulevard lui aussi, le fameux passage Brady. La partie de gauche abrite sous une verrière à deux pans des rangées continues de restaurants pakistanais et indiens. Du côté droit, une célébrité, le costumier Sommier qui loue depuis 1922 tous les uniformes, tous les déguisements possibles. On peut en sortir aussi bien en agent de police à pèlerine qu'en danseuse de tango ou en général de Napoléon. Nous y allions avant les fêtes de salles de garde, les *tonus*, quand j'étais interne dans les années 1960. (Ce folklore tient-il toujours ? À vrai dire, sa disparition ne serait pas une grande perte tant il comportait de machisme, de gras dans l'humour et d'esprit de caste.)

À partir du passage Brady et jusqu'à la rue du Château-d'Eau et au-delà, c'est le domaine exclusif et sans concurrence de la coiffure africaine, un morceau d'Afrique à Paris, où les rabatteurs exercent leur éloquence accoudés à la balustrade du métro, où les coiffeuses officient dans des boutiques de toutes les couleurs portant des noms qu'on trouve à Cotonou ou à Lagos, « Saint-Esprit Cosmétique », ou « God's Rock ». Tout le continent africain est représenté, on trouve là des anglophones comme des francophones et même des Jamaïcains. L'ambiance est bruyante et amicale, même s'il peut arriver qu'on ne rie plus : dans un beau court-métrage, *N'entre pas sans violence dans la nuit*, Sylvain George a capté un moment d'émeute où tout le quartier affronte la police et la met un moment en déroute, montrant que l'inventivité africaine peut se déployer dans bien des domaines.

Comme la rue du Faubourg-Saint-Martin, le boulevard de Strasbourg s'élargit en une vaste place devant la gare de l'Est, d'où l'on aperçoit à des kilomètres de là le dôme du Tribunal de commerce. C'est la tête

de ligne pour les autobus dont le numéro commence par un 3 : le 30 qui conduit au Trocadéro, le 31 à l'Étoile, le 32 à la porte d'Auteuil, le 35 à la mairie d'Aubervilliers, le 38 à la porte d'Orléans. Dans *Espèces d'espaces* Georges Perec explique comment savoir d'où partent les autobus parisiens d'après leur numéro (ceux qui commencent par un 2, de la gare Saint-Lazare, par un 4, de la gare du Nord, etc.). Il prétend même que le deuxième chiffre du numéro a lui aussi un sens, mais je crois que là il exagère un peu.

Avec sa longue colonnade, ses verrières surmontées des statues de Verdun – casquée, à droite – et de Strasbourg, ses bâtiments bas, sa cour pavée et ses grilles, la gare de l'Est est la plus accueillante des grandes gares parisiennes. Elle était même d'un calme presque provincial jusqu'à la mise en service du TGV de l'Est. Certes, on ne saurait se plaindre de ne plus mettre cinq heures pour se rendre à Strasbourg mais l'aile orientale abrite désormais un centre commercial où les *marques* proposent leur habituel déballage. Restons dans le hall de l'« embarcadère de Strasbourg » où une immense toile, *Le Départ des poilus en août 1914*, rappelle des moments moins paisibles.

Pour qui veut passer de la gare de l'Est à celle du Nord, le meilleur itinéraire est la rue d'Alsace. Au haut d'un escalier à double volée dessinant un bel ovale, la rue se transforme en balcon au-dessus des voies de l'Est. On trouve là depuis longtemps une librairie très justement nommée La Balustrade qui était encore communiste orthodoxe il y a quelques années. Depuis la

mort de sa propriétaire – que je voyais régulièrement vendre *L'Humanité Dimanche* quand j'habitais rue de Sofia –, la vitrine propose plutôt des livres scientifiques. À l'angle de la rue des Deux-Gares qui mène vers la rue du Faubourg-Saint-Denis, un café porte un nom lui aussi bien trouvé : Au Train de Vie. De là, on est tout près des croisillons de béton bordant le pont de la rue La Fayette, d'où Gilles Quéant saute dans le vide à la fin de *Gare du Nord*, de Jean Rouch[51].

Retour à la porte Saint-Denis. L'angle du faubourg et du boulevard Saint-Denis est un immeuble des années 1880. Sous le balcon du deuxième étage, un personnage est sculpté en pied, encapuchonné et surmonté de l'inscription « Au grand Saint-Antoine ». Il porte un livre sous le bras droit et il flatte un cochon de la main gauche, ce qui laisse penser qu'il y avait là autrefois une charcuterie à la place de l'actuelle boutique de lunettes. (Il existe de nombreuses représentations de saint Antoine accompagné d'un cochon – d'un sanglier ? – apprivoisé.) Ce qui est sûr, c'est que les bonnes vieilles charcuteries parisiennes, avec leurs montagnes de céleri rémoulade, leurs pieds de porc panés, leurs demi-langoustes et leurs bouchées à la reine, sont en voie de disparition, souvent remplacées par des traiteurs chinois.

Quelques mètres plus loin s'ouvre le passage du Prado, en forme de L, l'autre branche donnant sur le boulevard Saint-Denis. C'était, il y a une vingtaine d'années, le domaine de la machine à coudre : achat, vente, réparations, pièces détachées de toutes marques, fils, bobines… Il n'en reste aucune trace, sans doute parce qu'ont aussi disparu les ateliers de couture plus ou moins clandestins où travaillaient des ouvriers chinois et turcs dans l'Est parisien. Depuis deux appartements, l'un rue du Faubourg-du-Temple et l'autre rue Ramponeau où je vis actuellement, j'ai vu disparaître de tels ateliers, mes voisins, où résonnait du matin au soir le cliquetis des machines à coudre. Ils ont laissé place à des agences d'architectes, des designers ou des photographes. La couture des vêtements du Sentier se fait probablement dans ce qu'on appelait autrefois le Tiers-Monde et le passage du Prado est bien décati, beaucoup de vitrines sont closes et l'activité réduite à quelques salons de coiffure africains et pakistanais.

Après ce passage, la rue du Faubourg-Saint-Denis est le centre d'un petit quartier turc ou plutôt turco-kurde. Dans les cafés, les restaurants, chez les marchands de légumes et même le droguiste on trouve le même accueil qu'au bazar d'Istanbul : une bouffée d'Orient à deux pas de la porte Saint-Denis où Louis XIV traverse triomphalement le Rhin. Le restaurant Julien, sur le trottoir de droite, était autrefois un *bouillon* parisien, comme le bouillon Chartier, rue du Faubourg-Montmartre, ou le bouillon Racine, rue Racine, c'est-à-dire qu'on pouvait y déguster pour trois sous un bouillon de viande et légumes. Dans les années 1970, on y dînait encore très bien pour presque rien, mais des affairistes, ayant remarqué que le décor Art nouveau était superbe, ont acheté le bouillon et l'ont revendu à des industriels de la restauration. La publicité indique qu'on peut y rencontrer Angelina Jolie ou Fabrice Luchini.

Le faubourg croise ensuite deux parallèles percées sous Louis XVI et terminées sous Louis-Philippe, la rue de l'Échiquier et la rue d'Enghien. Au numéro 10 de la rue de l'Échiquier s'ouvrait le Concert Mayol où se produisirent Paulus, Yvette Guilbert, Dranem et, dans les générations suivantes, Lucienne Boyer, Marie Dubas et même Raimu et Fernandel. Sur le même trottoir mais dans un autre univers, une librairie turco-kurde porte le nom de Mevlana, un mystique du XIII⁰ siècle me dit le patron. On y trouve aussi bien des ouvrages religieux que d'autres sur la méthode Montessori (en turc) ou sur Che Guevara.

Le croisement de la rue de l'Échiquier avec la rue d'Hauteville est un beau point de vue, d'un côté vers la poste monumentale de la rue du Faubourg-Poissonnière et le minaret du Comptoir d'escompte, et de l'autre vers l'église Saint-Vincent-de-Paul qui ferme dans une impeccable scénographie la rue d'Hauteville, avec ce qui reste de ses fourreurs ashkénazes.

À l'angle de la rue d'Enghien et de la rue du Faubourg-Saint-Denis, « Chez Jeannette » est un café qui a gardé presque intact son beau décor des années 1950. Je l'ai fréquenté quand je m'entraînais dans une salle de boxe voisine dont le décor et les accessoires n'avaient pas changé depuis l'époque de Charles Rigoulot, l'homme le plus fort du monde, et du grand Marcel Cerdan. Jeannette épluchait les légumes pour le dîner du soir avec une noblesse que je trouvais très parisienne sans être tout à fait sûr qu'elle n'était pas bretonne ou picarde. Les jeunes gens qui tiennent aujourd'hui le café ne l'ont pas connue.

« Beau décor des années 1950 » : depuis combien de temps apprécie-t-on ce style ? Quand j'étais en première année de médecine dans la glaciale faculté de la rue des Saints-Pères – c'était en 1955 –, un vieux bistrot à l'angle du boulevard Saint-Germain était en réfection et nous trouvions tous horrible le nouveau décor. Aujourd'hui, Le Rouquet s'enorgueillit de ses néons et de ses formicas, de son « style 1950 » bien conservé. Nous fréquentions d'ailleurs plutôt un café voisin, dans une bicoque à toit pointu à l'angle de la rue des Saints-Pères et de la rue Perronet. Il était tenu par un vieil Auvergnat, le père Mathieu, qui nourrissait gratis les amis étudiants originaires du Massif central et leur payait même leurs livres, ce qui ne plaisait pas à sa femme, bien plus jeune que lui, qui voyait son alcoolo-tabagique de mari dilapider l'héritage. La solidarité entre Auvergnats s'étendait plus haut à l'époque : il y avait toujours des places d'externe et d'interne pour les natifs de cette province dans les deux grands services de neurologie de la Salpêtrière, tenus par des sommités qui, étant de l'Action française ou des environs, compensaient en ne prenant ni Noirs ni juifs dans leurs services.

Le style « années 30 », lui aussi très admiré aujourd'hui (même s'il est assez peu représenté à Paris en dehors du XVIe arrondissement), était méprisé par mes parents et leurs amis. Ils n'avaient pas de mots assez critiques pour l'immeuble de la rue Cassini où nous habitions – aujourd'hui classé, à très juste titre. Tout se passe comme si chaque génération détestait le design et l'architecture où elle a passé sa jeunesse. Cette fluctuation du goût n'est pas une spécificité française : à Varsovie, la jeunesse actuelle raffole du palais de la Culture et de la Science, immense gratte-ciel datant des années 1950, cadeau des Soviétiques, en comparaison duquel l'Empire State Building est un modèle de sobriété. Leurs parents le détestaient comme symbole de l'oppression et du mauvais goût. Nous y avons tenu un stand des Éditions Hazan à la foire du livre vers 1990, époque où l'on croyait que les pays postcommunistes allaient devenir un grand marché. Je me souviens de vieux Polonais qui passaient des heures à feuilleter nos livres dont chacun représentait sans doute un mois de leur salaire, triste contraste avec le luxe intérieur du bâtiment.

En viendra-t-on un jour à trouver du charme aux colonnades de Bofill place de Catalogne, aux bow-windows du quartier de l'Horloge, aux courants d'air de l'avenue de France ? Ce n'est pas sûr. Chaque époque a sa bonne et sa moins bonne architecture. Le Bernin trouvait que le dôme du Val-de-Grâce était « une bien petite calotte pour une grosse tête », et Ledoux se moquait des grêles colonnes des palais de Gabriel place Louis-XV [de la Concorde].

Peu après la rue d'Enghien, la cour des Petites-Écuries s'ouvre sur le côté gauche de la rue du Faubourg-Saint-Denis. C'était il y a cinquante ans le quartier général des négociants en cuir qui déjeunaient à la brasserie Flo où, le soir, on ne servait plus après 9 heures. La caissière avait un gros chien-loup et le lieu sentait le savon noir utilisé pour laver le bois du plancher. Flo et toute la cour ont bien changé, elles sont même devenues une sorte d'îlot étranger. Les jeunes gens élégants attablés aux terrasses, les jolies jeunes filles qui les accompagnent, n'ont rien de commun avec la population prolétarienne et bigarrée du faubourg.

Au fond de la cour, un étroit passage mène à la rue des Petites-Écuries où un centre culturel tenu par des maoïstes turcs est orné d'affiches réclamant la libération de prisonniers politiques de nombreux pays d'Asie. À quelques mètres, la célébrité de la rue est le New Morning, grand lieu du jazz à Paris depuis les années 1980, où jouèrent des gloires de la trompette et du saxophone, Chet Baker, Dizzy Gillespie, Archie Shepp et bien d'autres.

Revenus rue du Faubourg-Saint-Denis, on croise la rue de Paradis, domaine de la faïencerie et de la cristallerie de luxe : Baccarat, Saint-Louis, Daum, Lalique ont là des vitrines et même, pour l'ancienne faïencerie Boulenger, un superbe immeuble 1900 dont le fronton et les colonnes sont surmontés par une immense baie en plein cintre fermée par des vitraux.

Avant le boulevard Magenta, la rue du Faubourg-Saint-Denis s'élargit et ouvre à gauche sur un square en longueur qui a le mérite d'offrir un peu de chlorophylle dans un quartier minéral. Au fond, la façade d'une chapelle édifiée sous la Restauration par Louis-Pierre Baltard (le père du Baltard des Halles) est le seul vestige de l'immense hôpital-prison de Saint-Lazare. Dans les années 1630, on avait confié à Vincent de Paul une ancienne léproserie pour y former des missionnaires et depuis lors la Mission occupait un immense enclos entre les faubourgs Saint-Denis et Poissonnière. Le bâtiment principal a eu au cours des siècles des destinations diverses, toutes orientées vers la répression des déviants : maison de redressement sous l'Ancien Régime, où étaient enfermés des enfants rebelles, prison pour les libertins, prison politique sous la Révolution (André Chénier en partit pour l'échafaud), prison encore au XIXe siècle pour les femmes de mauvaise vie – et plusieurs communardes, dont Louise Michel. Dans les années 1930, le bâtiment revint à son rôle originel d'hôpital : on y traitait les prostituées atteintes de maladies vénériennes, on y soignait vérole et chaude-pisse avant que le sida ne les relègue à l'arrière-plan de la pathologie. L'hôpital, fermé depuis longtemps, a été récemment démoli pour laisser place à la médiathèque Françoise-Sagan. Les bâtiments neufs et tout blancs qui reprennent le système d'arcades de l'ancien hôpital ont un côté presque méditerranéen, inattendu mais plutôt agréable, souligné par les palmiers qui se balancent dans la cour.

La rue du Faubourg-Saint-Denis va ensuite croiser deux axes majeurs, le boulevard Magenta puis la rue La Fayette : deux énormes carrefours complétés un peu plus loin par un troisième, où les deux axes se croisent devant la gare du Nord.

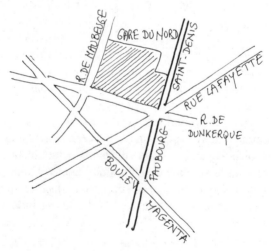

Le boulevard Magenta et la rue La Fayette ont le même rôle dans le dessin général de la rive droite : joindre un point névralgique central – respectivement la République et l'Opéra – aux premières pentes des hauteurs du nord, Montmartre d'un côté et les Buttes-Chaumont de l'autre. Mais malgré ce cousinage urbanistique, ces deux axes ne se ressemblent pas. Tout Parisien, qu'il soit de naissance ou d'adoption, et même tout visiteur a le droit d'aimer telle rue plutôt que telle autre. Pour ma part, je ressens la dynamique de la ville en remontant la rue La Fayette alors que j'évite chaque fois que possible le boulevard Magenta. La première est la plus ancienne des deux – elle devait à l'origine s'appeler rue Charles-X, ce qui date le début de son percement. Terminée bien plus tard – le pont à croisillons de béton dont j'ai parlé plus haut date des années 1930 –, elle est d'une grande variété dans l'architecture, dans les couleurs de la pierre, dans l'atmosphère des quartiers traversés. On ne s'ennuie pas rue La Fayette, alors que le boulevard Magenta, aligne des immeubles haussmanniens et post-haussmanniens d'une régularité fastidieuse. Le gabarit est le même de la place de la République jusqu'à Barbès : cinq étages, balcons filants au cinquième, combles de zinc percés de lucarnes, pierre gris sombre, rien n'est fait pour attirer l'œil. Les aperçus sur les gares, sur le marché Saint-Quentin, sur le porche de l'hôpital Lariboisière ne suffisent pas à égayer ce long faux plat, pénible au cycliste, où les boutiques les plus nombreuses sont des agences d'intérim.

Beaucoup de Parisiens l'ignorent, mais la grande esplanade devant la gare du Nord porte depuis 1987 le nom de place Napoléon-III. Très logiquement, la réhabilitation de Badinguet a commencé dans ces années-là, quand le néolibéralisme est devenu l'horizon indépassable de l'époque. L'aventurier louche, le chef de bande, le massacreur de Décembre a commencé alors une subreptice mutation en philanthrope saint-simonien, pionnier du système bancaire et industriel moderne. C'est pourtant de façon quasi clandestine que le conseil municipal, alors présidé par Chirac, a donné son nom à une grande place parisienne. Peut-être trouvait-on qu'on en avait déjà bien assez avec la glorification des victoires de Louis-Napoléon en Italie – Magenta, Solférino, Turbigo… – et en Crimée – l'Alma, Malakoff, Sébastopol, Eupatoria… (On peut remarquer qu'aucune voie, sauf erreur, ne célèbre la désastreuse expédition du Mexique. Même la bataille de Camerone, haut fait de la Légion étrangère, n'a pas de rue à Paris.)

J'ai dit plus haut que la façade de la gare du Nord était un chef-d'œuvre. Que personne ne s'arrête pour la contempler alors que des foules se pressent devant la façade de Notre-Dame – dont la statuaire n'est pas plus ancienne que celle de la gare –, c'est dommage. La façade de la gare a trois étages, dont le décor est composé de colonnes doriques cannelées et de statues. Entre les colonnes implantées sur le trottoir, on a installé des dispositifs en ferraille pour empêcher ceux qui n'ont pas d'abri de se protéger du vent et de la pluie. Plus haut, au niveau moyen, des statues de villes du Nord alternent avec les colonnes – aux angles, l'effigie de Douai du côté du boulevard Magenta et celle de Dunkerque du côté du faubourg Saint-Denis. L'étage supérieur est un large fronton soutenu par un arc en plein cintre et encadré par des pilastres colossaux. Ses paliers ascendants culminent avec une effigie de Paris. Sur les côtés, des statues représentent les capitales du Nord, Berlin, Londres, Bruxelles, Amsterdam… Ces

femmes fières et élégantes, vêtues à l'antique, portant des boucliers décorés aux emblèmes de leur ville, ont été sculptées par des artistes oubliés mais qui en valent bien d'autres exposés au musée d'Orsay[52].

Malgré ses atouts, la gare du Nord n'a guère inspiré les écrivains ni les artistes. En ce domaine, la palme revient sans conteste à la gare Saint-Lazare, « ces grands ateliers vitrés, comme celui de Saint-Lazare où j'allai chercher le train de Balbec, et qui déployait au-dessus de la ville éventrée un de ces immenses ciels crus et gros de menaces amoncelées de drame, pareils à certains ciels, d'une modernité presque parisienne, de Mantegna ou de Véronèse, et sous lequel ne pouvait s'accomplir que quelque acte terrible et solennel comme un départ en chemin de fer ou l'érection de la Croix[53] ». Ces grands ateliers vitrés, Claude Monet leur a consacré une série de douze toiles et l'un des plus célèbres tableaux d'Édouard Manet est souvent appelé *La Gare Saint-Lazare*, même si elle n'y figure que de façon allusive[54]. La différence de traitement entre Saint-Lazare et le Nord n'est pas difficile à comprendre : quand ces peintres et ces écrivains quittaient Paris pour prendre l'air, ils allaient en

Normandie, à Balbec, à Giverny, à Honfleur et non à Maubeuge ou à Armentières. Plusieurs d'entre eux habitaient et travaillaient près de la gare Saint-Lazare, Mallarmé entre le lycée Condorcet et la rue de Rome, Manet rue d'Amsterdam, Caillebotte boulevard Males-herbes…

La gare du Nord est la dernière dont l'environnement rappelle la destination des trains qui en partent : À la Ville d'Aulnay, Au Rendez-vous des Belges, La Tartine du Nord, À la Pinte du Nord… seuls y échappent les fast-foods et les restaurants chinois. La gare Montpar-nasse, au temps de la célèbre photo de la locomotive suspendue dans le vide, était le centre d'un quartier breton où Bécassine aurait pu se sentir chez elle. La construction de la tour, du centre commercial et de la nouvelle gare n'en a laissé que quelques crêperies éparses. Autour de la gare de Lyon, il n'existe guère de touche méridionale, mais ce n'est peut-être pas un hasard si l'ancien quartier auvergnat – la rue de Lappe, le bas de la rue de la Roquette où un dancing, « Au Massif central », occupait les locaux de l'actuel théâtre de la Bastille – s'était formé à proximité.

Parmi les brasseries qui font face à la gare du Nord, le Terminus Nord était naguère l'une des plus agréables. Il est tombé dans les mêmes mains et a subi le même sort que le bouillon Julien dont j'ai parlé plus haut, mais aussi que Bofinger, La Coupole et le Balzar : nor-malisation de la nourriture, banalisation de l'accueil, disparition des originalités qui faisaient de chacun de ces lieux un point de ralliement avec ses habitués, ses coutumes, ses plats particuliers. De tous, c'est l'ancien Balzar que je regrette le plus – les autres, en fait, j'y allais rarement, surtout à La Coupole, trop marquée par des souvenirs de déjeuners du dimanche avec mes parents. Mais le céleri rémoulade du Balzar, la tête de veau, les pieds de porc panés étaient incomparables, les serveurs étaient élégants et amicaux, la lumière des boules faisait resplendir les femmes et parfois, dînant là après une intervention terminée tard, on avait la chance d'y voir Delphine Seyrig ou Roger Blin sortant du théâtre. Les années écoulées ont peut-être embelli ces souvenirs mais je trouverais à coup sûr des témoins pour confirmer que le Balzar a bien été un lieu enchanteur.

La masse de la gare du Nord donne une impression d'unité. L'extension récente, en retrait et d'une architecture judicieusement décalée, n'y apporte pas de trouble. Mais cette unité extérieure est un masque. Sur toute son étendue, la gare est divisée en trois niveaux, l'un de plain-pied avec la rue et les autres en sous-sol. Cette démarcation est bien plus que spatiale car le haut et le bas ne communiquent pas plus qu'au temps d'Ulysse le monde des vivants et celui des ombres.

L'étage du haut est impeccable. Sous la grande verrière, la signalétique est claire, les sièges sont confortables, un kiosque propose un choix de presse étrangère, les cafés sont propres et accueillants. De là partent des trains Thalys pour les capitales du Nord, et l'Eurostar dont l'accès est protégé par un système de sécurité comme dans un aéroport. Les voyageurs sont des cadres, des hommes et femmes d'affaires, des touristes – blancs, propres et bien habillés.

En descendant, le niveau -1 n'est pas pire que la station Châtelet du RER. C'est le vaste niveau inférieur qui vaut la visite. Le plafond est bas, les couleurs sombres, l'éclairage glauque, la signalétique incompréhensible et la sonorisation inaudible. Les lignes de trains de banlieue étant fort nombreuses – plus de quarante –, l'ensemble

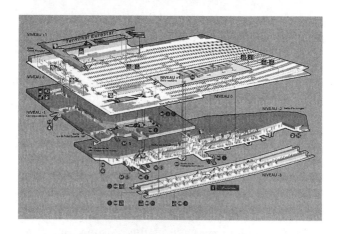

forme un labyrinthe lugubre. Celles et ceux qui arrivent chaque matin et partent chaque soir vers Goussainville, Luzarches, Persan-Beaumont ou Villiers-le-Bel s'y retrouvent, mais d'autres errent sur les quais, cherchant le train qui les ramènera au Châtelet ou les conduira à Roissy. La population de ce niveau d'en bas est en grande majorité noire. Les vidéos prises pendant les émeutes qui rythment la vie de cette gare montrent des foules noires en colère – assez peu d'Arabes, ce qui objective la différence entre les deux populations : la noire, d'implantation plus récente, de statut plus fragile, est repoussée au diable vauvert, alors que les Arabes se sont bien accrochés dans les communes de la première couronne, Saint-Denis, Aubervilliers, Gennevilliers, accessibles par le métro. Quant aux Blancs, ce sont des touristes hagards tentant de déchiffrer des annonces aussi mystérieuses que les oracles antiques, et des malabars de la Sécurité ferroviaire dont la brutalité est bien connue des *usagers*.

Impossible de tenter ici ce qu'a admirablement réussi Anna Maria Ortese dans *Silenzio a Milano*[55], passer la

148

nuit sur un banc à observer l'humanité qui choisit une gare comme refuge dans la brutalité de la vie. Impossible, car de banc, ici, il n'y en a pas.

Une fois dépassée la gare, le premier point remarquable sur la rue du Faubourg-Saint-Denis est l'hôpital Fernand-Widal, que chacun connaissait sous le nom de Maison Dubois jusqu'en 1959. Antoine Dubois avait été un grand chirurgien sous l'Empire et la Restauration, consultant de Napoléon, accoucheur de l'impératrice Marie-Louise et plus tard de la duchesse de Berry. Il était chef de service d'une maison de santé sur le faubourg Saint-Martin, transférée à l'emplacement actuel après sa mort, mais qui avait gardé son nom tant le personnage était populaire à Paris – il a d'ailleurs une rue à son nom entre la rue de l'École-de-Médecine et la rue Monsieur-le-Prince. La Maison Dubois était un établissement payant : dans une lettre à Ancelle, le notaire de sa famille, Baudelaire, qui fait hospitaliser sa maîtresse, Jeanne Duval, frappée d'hémiplégie, écrit : « Il faut que je verse le 3 mai [1859] 120 francs à la Maison de santé plus 30 francs à la garde malade. Je ne puis pas aller à Paris [il est à Honfleur]. Profitez du samedi (demain) pour escompter ce papier, payable ici, chez ma mère, et dès dimanche envoyez 150 francs (un billet de 100 et un de 50 ou un mandat) à M. le Directeur de la Maison municipale de santé, 200 faubourg Saint-Denis. Vous direz dans votre lettre que vous envoyez cela de la part de M. Baudelaire pour la pension de Mlle Jeanne Duval, qu'il y a 120 francs pour la pension et que les 30 francs doivent être remis à la malade elle-même pour sa garde. » La Maison Dubois a vu passer beaucoup d'écrivains et d'artistes, dont Nerval lors d'une de ses crises vers la fin de sa vie et Murger qui y mourut en 1861.

La façade sur le boulevard n'a rien de remarquable mais les cours intérieures, dessinées par Théodore Labrouste – le frère cadet d'Henri Labrouste, l'architecte de la bibliothèque Sainte-Geneviève et de la salle de lecture de la Bibliothèque nationale –, sont agréables, la première entourée de galeries soutenues par des colonnades, la seconde plantée d'une allée d'érables. Une architecture de cadet, modeste et soignée.

C'est dans cette Maison Dubois que j'ai participé pour la première fois à la vie d'un service hospitalier. C'était sur le premier barreau du plus bas de l'échelle (« faisant fonction d'externe ») mais cette infime promotion était un bond qualitatif. Je me trouvais admis dans un territoire peuplé de personnages d'une essence différente, vêtu d'une blouse fournie par l'hôpital avec des yoyos qui servaient de boutons au lieu de la blouse de stagiaire lavée à la maison, et la perspective de toucher quelques francs à la fin du mois. C'était grisant.

Le service de chirurgie où j'exerçais mes minuscules fonctions avait pour patron un disciple de Mondor, le Pr Olivier : raie au milieu, demi-lunettes, nœud papillon, arrogance sans faille, c'était le chirurgien type de l'époque. Il avait heureusement des assistants qui m'apparaissaient comme des génies bienveillants et allaient jusqu'à m'appeler par mon nom, en me vouvoyant toutefois – pour le tutoiement, il allait falloir attendre d'être nommé au concours de l'internat, promotion qui vous valait le « tu » dès la proclamation des résultats, signe simple mais décisif de l'admission dans la caste. C'est sans doute de là (et de l'histoire de la Révolution française) que m'est venue l'habitude de tutoyer n'importe qui sauf celles et ceux dont je sais qu'ils ne me répondront pas sur le même ton.

Dans cet hôpital, les patients étaient des pauvres de la région des gares, des prolétaires français et des immigrés italiens, espagnols, arabes. Le quartier était sale, noir de la fumée des trains. L'électrification commençait tout juste. C'était le temps où l'on pouvait admirer dans les wagons de seconde des photographies en noir et blanc de Bagnères-de-Bigorre, de Berck-Plage ou d'Autun, le temps où dans les gares un employé frappait les roues des wagons avec un marteau à long manche pour repérer au son d'éventuelles avaries, où les trains vers le Midi s'arrêtaient à Laroche-Migennes pour « faire de l'eau ». (En évoquant ces images, je pense à mon père racontant lui aussi des souvenirs d'un autre temps – que ses professeurs faisaient cours en redingote, qu'il lui fallait cinq jours de bateau pour venir en France depuis son Égypte natale et qu'on pariait chaque soir sur le nombre de milles parcourus dans la journée.)

Le faubourg était « mal famé » comme on disait alors. Je me souviens d'un homme arrivé aux urgences avec une balle dans le ventre, sans doute dans la paroi car il pouvait marcher. Il demandait qu'on lui extraie le projectile mais refusait d'être enregistré et hospitalisé. Comme on lui expliquait que ce n'était pas possible, il repartit comme il était venu.

Il est à craindre que l'Assistance publique (l'AP-HP), dans son souci de rentabilité et de normalisation, ne ferme un jour ce petit hôpital comme elle a fermé Boucicaut, où les surveillantes étaient encore des bonnes sœurs quand j'y étais interne, l'hôpital de Vaugirard et ses beaux jardins, le Saint-Vincent-de-Paul de Gilbert Huault, Broca, où l'on soignait les maladies de peau près du boulevard Arago, Bretonneau, accueillant aux enfants pauvres de Montmartre, et Laennec, l'hôpital où j'ai travaillé pendant une vingtaine d'années. Il est vrai que ces établissements n'étaient pas *rationnels*. À Laennec par exemple, il y avait un service de chirurgie cardiaque – le mien – mais pas d'unité de cardiologie ; le plateau technique (comme on ne disait pas) était rudimentaire et il fallait envoyer les patients aux quatre coins de Paris pour soigner leurs yeux ou leurs genoux. Mais on aurait pu aménager ces petits hôpitaux pour les besoins des quartiers au lieu de les détruire, de vendre leur terrain à des promoteurs et de les remplacer par des monstres comme l'hôpital Georges-Pompidou où, comme s'il ne suffisait pas d'être malade, on est plongé dans une ambiance variant selon les heures entre celle d'un aéroport et celle d'une prison moderne. Alors que les hôpitaux détruits animaient leur quartier par la présence d'étudiants, d'infirmières, par les visites aux malades, les alentours de l'hôpital Pompidou évoquent plutôt le *downtown* de Phoenix, Arizona. Une nuit, il m'est arrivé de m'y perdre et il n'y avait personne pour m'indiquer le chemin du retour.

De l'hôpital Fernand-Widal jusqu'à la place de la Chapelle, la rue du Faubourg-Saint-Denis est le tuteur d'un quartier asiatique qui s'est constitué il y a une bonne vingtaine d'années et s'étend aujourd'hui dans les rues collatérales – Cail, Louis-Blanc, Perdonnet. Dans des boutiques multicolores, dans la bonne odeur des épices, on peut acheter des bijoux qui vont de la camelote à l'or fin, des saris, des films Bollywood, du gingembre, des goyaves et toutes sortes de fruits que je ne sais pas identifier. Les Parisiens appellent souvent ce quartier « indien » ou même « pakistanais » mais si l'on y rencontre en effet des Indiens parlant hindi et des natifs du Pakistan ou du Bangladesh, la majorité est tamoule. Les uns proviennent du sud-est de l'Inde, de l'État du Tamil Nadu (« pays des Tamouls ») où la plus grande ville est Madras. Les autres sont Sri-Lankais – qui sait s'ils ont soutenu l'insurrection indépendantiste des Tigres tamouls, s'ils en chérissent le souvenir après son épouvantable massacre par le gouvernement central de l'île.

Ce fragment d'Asie est l'un des quartiers parisiens que l'on qualifie parfois d'« ethniques », mot importé d'Amérique où il signifie plutôt exotique (*ethnic restaurant*, *ethnic dress*) alors que, dans la version française, la notion de race affleure à peine voilée. Chacun de ces quartiers a son histoire, avec des hauts et des bas qui peuvent aller jusqu'à la disparition complète par assimilation ou retour au pays. J'ai vu ainsi s'éteindre la colonie russe blanche localisée autour de l'avenue de Versailles : rares sont ceux qui se souviennent qu'après guerre il paraissait chaque semaine un journal russe, dont M. Dominique, patron d'un fameux restaurant de la rue Bréa à Montparnasse, tenait la rubrique théâtrale. Ont également disparu la note espagnole qu'avait l'avenue de Wagram dans les dernières années du franquisme quand les bourgeois parisiens avaient des bonnes et les immeubles des concierges, et l'enclave japonaise du côté des rues Sainte-Anne et des Petits-Champs, dont il ne reste que quelques bonnes adresses gastronomiques. Mais ni les Russes ni les Espagnols ni les Japonais n'étaient assez nombreux à Paris pour former de véritables quartiers. En revanche, le vieux quartier juif existe toujours rue des Rosiers et aux alentours mais il est menacé de tous côtés. La part ashkénaze-yiddish de sa population, prépondérante quand la rue Ferdinand-Duval s'appelait rue des Juifs, vieillit et disparaît peu à peu. À la place de Goldenberg, où j'allais souvent avec mon père le dimanche matin acheter du *pickelfleish* et des *malossols*, où Jo Goldenberg accueillait les clients avec un accent parigot improbable en un tel lieu, on trouve aujourd'hui une boutique de fringues japonaise. Le quartier est soumis à des pressions convergentes, voire combinées, celle des bars gays et celle de la mode, qui gagnent sans cesse du terrain dans la rue des Rosiers et le voisinage où les noms de rues – des Blancs-Manteaux, des Guillemites, des Hospitalières-Saint-Gervais – viennent droit du Moyen Âge pour rappeler les congrégations qui se partageaient jadis la région.

La Goutte-d'Or arabe, le quartier africain du marché Dejean, de la rue Myrha, de la rue Doudeauville, sont eux aussi sous une double menace, celle omniprésente de la police et celle d'un embourgeoisement qui progresse à vue d'œil, les deux étant aussi liées que les doigts de la main, ou le profit et la violence si l'on préfère. En comparaison, les deux *chinatowns*, celui du XIIIᵉ et celui de Belleville, plus petit mais plus ancien, font figure de gagnants, prospères et paisibles, grandissant par grignotage en douceur sur leurs marges. Les Chinois ont même réussi à créer leur Sentier à eux dans les anciennes rues Popincourt et Sedaine, d'où toute vie urbaine a désormais disparu sous l'implacable monotonie du prêt-à-porter. Ce petit quartier, qui fut le centre du protestantisme parisien au temps de la Réforme avant de devenir au XIXᵉ siècle le lieu par excellence de la barricade, est désormais bien triste. Contrepartie : on ne peut que se réjouir de la prise en main de nombreux bureaux de tabac par des Chinois, bien plus efficaces que les grincheux buralistes traditionnels.

7

Le long, le passionnant, le magnifique faubourg Saint-Denis se termine place de la Chapelle : une halte, comme au seuil d'un autre monde. On est devant ce qui était une grande porte dans le mur des Fermiers-Généraux, aujourd'hui repéré par le trajet du métro aérien. (Pour le tracé du métro, les ingénieurs avaient choisi l'espace libéré par la destruction du mur dans les années 1860, propice à ce grand chantier.)

Au début de cette traversée, le mur des Fermiers-Généraux a été franchi pour entrer dans la ville à la barrière d'Italie, mais il n'y a pas là de symétrie. Le mur était plus important au nord qu'au sud où, par endroits, il n'était pas encore fini à la veille de la Révolution, les manques étant fermés par des palissades ou simplement des planches. C'est que les marchandises qui payaient l'octroi en passant les portes, le vin, le blé, le bois arrivaient davantage du nord et de l'est que du sud de la ville. Cette différence se lit dans le Paris actuel où, dans les beaux quartiers et sur la rive gauche, les voies qui suivent le tracé de l'ancien mur – comme l'avenue Kléber ou le boulevard Raspail – ont deux rives symétriques, alors que dans le nord et dans l'est le côté ville et le côté campagne restent souvent différents, ce qui crée un effet rémanent de frontière.

Que trouvait-on au-delà de cette porte avant la destruction du mur, avant que la frontière de Paris ne recule jusqu'aux fortifications (jusqu'aux boulevards des Maréchaux) ? Une commune, La Chapelle-Saint-Denis, allongée dans le sens nord-sud, axée sur la « grande route de la Chapelle » – aujourd'hui rue Marx-Dormoy puis rue de la Chapelle. Jusque dans les années 1840, c'était la campagne : des vignobles (la Goutte d'Or était un vin blanc réputé depuis Henri IV), des moulins à vent, des carrières de plâtre, des labours, des remises à gibier pour les chasses royales, des cabarets sur la grand route[56]. Il s'y tenait le principal marché aux vaches laitières de la région parisienne.

Mais bien plus que ses voisines – Montmartre d'un côté, La Villette de l'autre –, La Chapelle-Saint-Denis va être bouleversée par le chemin de fer. Les voies du Nord et celles de l'Est sont construites sur son territoire, occupant d'immenses espaces, chassant bien loin les vignobles et le gibier. En dix ans, la commune devient industrielle avec des ateliers et gares de marchandises, des usines de locomotives et de machines à vapeur, des imprimeries sur étoffe, des fabriques de produits chimiques, des raffineries de sel et de sucre... La population est désormais ouvrière. Après la révolution de février 1848, les grands travaux du chemin de fer deviennent des ateliers nationaux, si bien que lors des journées de juin 1848 (dont le déclenchement est lié à la fermeture de ces ateliers) la garde nationale de La Chapelle-Saint-Denis va passer du côté de l'insurrection – l'un de ses lieutenants, Legénissel, dessinateur industriel, commandera les barricades de la rue La Fayette à l'angle de la rue d'Abbeville, qui donneront bien du fil à retordre aux troupes de Lamoricière[57].

Les voies de chemin de fer marquent toujours le paysage du XVIIIᵉ arrondissement, mais celles du Nord et celles de l'Est ne s'inscrivent pas de la même façon dans le tissu urbain. Les voies de l'Est sont longées par des rues – la rue d'Alsace, la rue Philippe-de-Girard, la rue d'Aubervilliers –, ce qui les inclut dans le paysage. Au contraire, les voies du Nord sont bordées d'immeubles qui leur tournent le dos, tombant presque à pic sur les rails. On ne peut donc les voir que depuis les ponts qui les enjambent. Pourvu qu'on nous laisse ces échappées sur le ciel et les lointains de la banlieue, pourvu que ne progresse pas dans la tête des aménageurs et des promoteurs l'idée de gagner de l'espace, de recouvrir les voies comme à la gare d'Austerlitz.

À la différence de Barbès, la place de la Chapelle n'est pas un carrefour disloqué et écrasé par le métro aérien. Ici, les deux rives du boulevard de la Chapelle s'écartent et l'espace entre elles forme une véritable place. Ses angles sont occupés par trois cafés (dont un « Danton » qui doit dater du centenaire de 1789 comme la statue du carrefour de l'Odéon) et le beau théâtre des Bouffes-du-Nord. La station de métro n'est pas située au milieu du carrefour comme à Barbès – le parallèle entre ces deux voisins, enjambés l'un comme l'autre par les rails, va de soi – mais décalée d'une vingtaine de mètres vers l'est (vers Stalingrad), ce qui laisse voir l'impeccable dessin de l'escalier extérieur, le soin mis à le raccorder aux verrières des quais, au pont où passent les voies et aux très hauts piliers de pierre qui soutiennent l'ensemble.

Entre le métro et le côté nord de la place s'étirent deux squares lépreux dont les platanes donnent de l'ombre en été. (Au moment où j'y passe, celui de gauche en regardant vers la périphérie sert de campement à des réfugiés qui s'y sont installés ou réinstallés après les violences policières de la rue Pajol.) Le kiosque à journaux, contre le square de droite, était naguère tenu par une jeune femme qui parvenait à être à la fois arabe, trotskiste et voilée, ce qui n'est pas si fréquent. Bref, si l'on peut voir, si l'on voit souvent la place de la Chapelle comme un lieu d'embouteillages géants, de bruit et de saleté, on peut aussi – c'est mon cas – y trouver de la poésie et même une certaine douceur. (*Poésie*, le mot ne figurera qu'une seule fois dans cette traversée, je le promets.)

La grande voie qui traverse la Chapelle en ligne presque droite porte d'abord le nom de Marx Dormoy, ministre socialiste de l'Intérieur en 1937 après le suicide de Roger Salengro. (Lui-même sera assassiné en 1941 par la Cagoule qu'il n'avait pas réussi à éradiquer.) Elle est bordée d'immeubles bourgeois de la fin du XIXe siècle, de maisons basses de banlieue ouvrière dont beaucoup sont murées et de buildings des années 1960 en fort retrait sur l'alignement, ce qui souligne leur laideur. (Il est à peine croyable qu'il ait fallu attendre 1977 pour que les immeubles neufs cessent d'être construits en retrait de l'alignement. La loi qui le prescrivait depuis le Premier Empire avait pour but – mais non pour effet – d'aboutir avec le temps à un élargissement des voies.) La population est arabe et noire (les Tamouls débordent très peu sur le XVIIIe arrondissement), pauvre comme les boutiques, comme les cafés, comme évidemment ceux qui vous demandent une cigarette. La rue Marx-Dormoy, et plus encore la rue de la Chapelle qui lui fait suite, est une voie prolétarienne, comme l'est la rue d'Avron dans le XXe arrondissement – tendue elle aussi entre une ancienne porte dans le mur des Fermiers-Généraux (la barrière de Montreuil) et le capharnaüm de la porte de Montreuil.

Peu après le croisement avec la rue Ordener et la rue Riquet, l'église Saint-Denis-de-la-Chapelle et la basilique Sainte-Jeanne-d'Arc forment sur le trottoir de droite une masse catholique romaine inattendue en un tel lieu. Les deux éléments en tous points différents sont réunis par la figure de Jeanne d'Arc dont une effigie de bronze anime leurs peu avenantes façades. Devant cette statue, un touriste belge collectionneur de photos de Jeanne me demande si j'en connais d'autres à Paris, outre celle de la rue des Pyramides qu'il vient de voir. Je lui indique celles de la rue Jeanne-d'Arc, de l'esplanade du Sacré-Cœur, du parvis de Saint-Augustin, et la tête casquée, rue Saint-Honoré, rappelant que Jeanne fut blessée d'une flèche anglaise à cet endroit. C'est d'ailleurs justement à la veille de mener l'assaut contre les Anglais qu'elle se recueillit, dit-on, dans cette église Saint-Denis – dont il ne reste presque rien de médiéval hormis quelques chapiteaux dans la travée de droite. L'histoire de la basilique mitoyenne est curieuse : en septembre 1914, l'avance des Allemands menaçant Paris, l'archevêque prononça solennellement devant Notre-Dame le vœu d'élever une basilique consacrée à Jeanne d'Arc si la ville était sauvée. Après la guerre, le projet fut mis à exécution. Les édiles refusèrent malheureusement le projet d'Auguste Perret, une tour de béton de 200 mètres de haut qu'il réalisera trente ans plus tard au Havre. Le bâtiment actuel, terminé dans les années 1950, a un extérieur de forteresse et un intérieur de glacière bétonnée. Pour voir des Blancs et des Blanches en nombre dans le quartier, il faut venir dans ces parages le dimanche à l'heure de la messe.

Le tissu urbain se disloque ensuite peu à peu jusqu'à la porte de la Chapelle où il fait place à l'inextricable mélange de bretelles d'accès aux autoroutes et au périphérique, de voies ferrées en tous sens, de minuscules espaces verts inaccessibles, que j'ai évoqué au début de cette traversée. Juste avant, sur la gauche, un énorme chantier est en cours du côté des voies du Nord, baptisé « Chapelle International ». À l'angle du boulevard Ney, un panneau annonce les détails d'un « programme inédit en France », baptisé SOHO (Small Office, Home Office) : « Réunir au sein d'un double volume les espaces d'activité et les espaces résidentiels », établir « une cohabitation durable ville-fer ». Les images de synthèse sont effrayantes.

La Chapelle est divisée en deux par son grand axe
nord-sud et par les voies ferrées du Nord. Du côté du
boulevard Barbès, jusqu'à la très ancienne rue des Poissonniers par où la marée parvenait de Boulogne à Paris
avant le chemin de fer, c'est la Goutte-d'Or. Elle se
prolonge au-delà de la rue Myrha (Myrha, nom d'une
fille d'un maire de Montmartre, et non Myrrha, fille d'un
roi de Chypre dont Ovide raconte les tribulations dans
les *Métamorphoses*) jusqu'à la porte des Poissonniers
par un quartier sans nom mais non sans caractère. De
l'autre côté, vers l'est, jusqu'à la rue d'Aubervilliers,
c'est une zone en mutation rapide où l'on découvre
à chaque visite de nouvelles déprédations. Entre ces
deux moitiés de la Chapelle les communications sont
réduites car le franchissement des voies ferrées n'est
possible que par trois ponts, ceux de la rue de Jessaint,
de la rue Doudeauville et de la rue Ordener. Les deux
régions restent donc en tous points distinctes et même
étrangères l'une à l'autre.

Pendant longtemps, la Goutte-d'Or était un contrefort de Montmartre, une butte d'où l'on extrayait le gypse, tantôt à ciel ouvert et tantôt dans des carrières comme celle qu'évoque Nerval dans *Les Nuits d'octobre*, « qui semblait un temple druidique, avec ses hauts piliers soutenant des voûtes carrées. L'œil plongeait dans des profondeurs d'où l'on tremblait de voir sortir Ésus, ou Thot, ou Cernunnos, les dieux redoutables de nos pères ». À la surface, entre les vignes, cinq moulins tournaient à la sortie des fours pour broyer le plâtre, matériau indispensable à « cette illustre vallée de plâtras incessamment près de tomber et de ruisseaux noirs de boue », comme dit Balzac au début du *Père Goriot*.

S'agissant de la Goutte-d'Or actuelle, on fait souvent une sorte de confusion ou de superposition avec Barbès. Il est vrai que le carré de la Goutte-d'Or est limité sur deux de ses côtés par le boulevard Barbès et le boulevard de la

Chapelle, mais ce sont des frontières qu'on pourrait dire extérieures. Barbès est un bazar au sens originel du terme : on y trouve de tout, ce qui n'est pas le cas de la Goutte-d'Or. Au début du XXIe siècle, j'habitais rue de Sofia, petite transversale débouchant dans le boulevard Barbès presque en face de la rue de la Goutte-d'Or. Pendant la douzaine d'années écoulées depuis, ce qu'on vend dans le bazar s'est un peu modifié : les valises sont en perte de vitesse, les portables en forte hausse, les bijoux et les soldes restent stables. Le plus frappant, c'est l'embourgeoisement de Barbès, bien plus marqué qu'à la Goutte-d'Or. Ses signes les plus évidents sont la rénovation du cinéma Le Louxor (dont on aurait mauvaise grâce à se plaindre) et surtout l'implantation d'une brasserie de luxe à l'angle du boulevard Barbès et du boulevard de la Chapelle. Installé à la place d'un magasin de soldes qui avait brûlé – ses ruines ont servi de tribune lors de la manifestation interdite contre l'intervention israélienne à Gaza en juillet 2014 –, cet établissement n'est pas seulement une offense à l'esprit du lieu, il est aussi une sorte de test : jusqu'où peut-on aller avant que *ces gens-là* se mettent à tout casser ?

Je ne sais pas quand la Goutte-d'Or est devenue le quartier des grossistes arabes de Paris et Barbès un bazar aux valises et aux cigarettes de contrebande. (Les membres de la famille de Marlborough sont-ils fiers d'apprendre que leur nom est psalmodié jour et nuit sur ces illustres trottoirs ?) Ce qui est sûr, c'est que les Algériens qui se sont installés là n'ont pas mal choisi, l'endroit étant depuis longtemps l'un des plus reculés et des plus pauvres de la ville. *Depuis longtemps* : avant même que le percement du boulevard Barbès et du boulevard Magenta ne vienne disloquer le vieux carrefour, au temps où la rue des Poissonniers et la rue du Faubourg-Poissonnière se rencontraient à la barrière, à l'époque où Gervaise, au début de *L'Assommoir*, voit couler, « entre les deux pavillons trapus de l'octroi, le flot ininterrompu d'hommes, de bêtes, de charrettes, qui descendait des hauteurs de Montmartre et de la Chapelle ». De sa fenêtre à l'hôtel Boncœur (« sur le boulevard de la Chapelle, à gauche de la barrière Poissonnière, une masure de deux étages, peinte en rouge lie de vin jusqu'au second, avec des persiennes pourries par la pluie »), elle guette dans la nuit le retour de Lantier, son amant. « Elle regardait à droite, du côté du boulevard de Rochechouart, où des groupes de bouchers, devant les abattoirs, stationnaient en tabliers sanglants ; et le vent frais apportait une puanteur par moments, une odeur fauve de bêtes massacrées. Elle regardait à gauche, enfilant un long ruban d'avenue, s'arrêtant, presque en face d'elle, à la masse blanche de l'hôpital de Lariboisière, alors en construction. Lentement, d'un bout à l'autre de l'horizon, elle suivait le mur de l'octroi, derrière lequel, la nuit, elle entendait parfois des cris d'assassinés ; et elle fouillait les angles écartés, les coins sombres, noirs d'humidité et d'ordure, avec la peur d'y découvrir le corps de Lantier, le ventre troué de coups de couteau. » Magnifique passage, qui donne la date de l'action : l'hôpital du Nord prit son nom actuel quand la comtesse Lariboisière finança la fin des travaux, autour de 1850. Les derniers coups de feu des journées de juin 1848 furent tirés dans le chantier de l'hôpital où Coupeau, nouvel amant de Gervaise, travaillait comme zingueur. Tout cela, j'y pense en voyant défiler le paysage entre la Chapelle et Barbès, dans le tintamarre si particulier du métro aérien. Il m'a semblé un moment que Zola exagérait, que d'un deuxième étage sur le boulevard de la Chapelle on ne pouvait pas voir à la fois l'hôpital et les abattoirs (sur l'emplacement de l'actuel square d'Anvers). De chez Tati, j'ai vérifié, il avait raison.

À propos, une fois encore, des journées de Juin : la rue qui longe la façade de l'église Saint-Bernard à la Goutte-d'Or s'appelle rue Affre, du nom de l'archevêque de Paris tué lors de ces journées. La rue qui longe l'église Saint-Joseph, sur la rue Saint-Maur, porte le nom de Mgr Darboy, autre archevêque, fusillé pendant la dernière semaine de la Commune. La première de ces rues est proche de Lariboisière et l'autre du Père-Lachaise, lieux où les insurgés furent massacrés lors des dernières heures de ces événements. En convoquant la mémoire de ces ecclésiastiques en des endroits aussi populaires, les notables de la IIIe République ont sans doute cherché à faire sentir aux survivants et à leurs descendants toute l'horreur de ces forfaits et à leur indiquer ce qui les attendrait en cas de récidive.

Ma connaissance de la Goutte-d'Or, je la dois au dernier représentant authentique du surréalisme belge, Maurice Culot. C'est lui qui m'a fait découvrir le quartier en 1984 quand il travaillait à son grand livre sur le sujet[58]. Il m'a fait voir le tracé des rues en croix de Saint-André (en X aplati) qui donne des pentes douces, évite les escaliers et effile en biseau les immeubles des pointes – trait particulièrement net au croisement de la rue de Chartres et de la rue de la Charbonnière. Il m'a fait faire le tour des lieux de *L'Assommoir*, démolis ou en voie de l'être – le café du père Colombe qui donne son nom au livre, la rue des Islettes où Zola a situé la maison et le lavoir de Gervaise. Surtout, il m'a expliqué l'absurdité de l'aménagement alors en cours, des colonnades en maigre béton, de l'arasement contre nature de la butte, des retraits d'alignement, de l'amputation des angles en pointe… Depuis lors, rien

ne s'est arrangé. On a implanté un commissariat au milieu de la rue de la Goutte-d'Or, réputé pour être l'un des plus brutaux de Paris. On a ravagé la rue des Islettes, désormais bordée d'un côté par une affreuse école maternelle au-dessus d'un parking souterrain et de l'autre par une poste devant laquelle un espace vague a été baptisé, comble de l'ironie involontaire, « place de l'Assommoir ». La mosquée, à l'angle de la rue Polonceau et de la rue des Poissonniers, a été démolie en 2013. Il est prévu de construire à la place un Institut des cultures d'Islam qui sera sans doute aussi désert que celui qui existe déjà rue Stephenson. Entre la rue de la Goutte-d'Or et la rue Polonceau, on a construit un escalier lugubre auquel a été donné le nom de Boris Vian – pauvre Boris, quels péchés a-t-il dû expier pour qu'entre mille endroits possibles on lui ait attribué celui-ci ? Rue des Gardes, la mairie de Paris a fait implanter côte à côte des boutiques de mode, de « créateurs », pour lesquelles le mot *déplacé* est insuffisant : c'est *obscène* qu'il faudrait dire. Non que les pauvres n'aient pas le droit de joliment s'habiller, mais exposer en un tel lieu des robes valant des fortunes !

Reste-t-il donc quelque raison d'aller demain faire un tour à la Goutte-d'Or ? Oui, car l'on y trouve, comme au marché Noailles à Marseille, l'atmosphère d'une ville arabe, l'animation, les odeurs épicées, la chaleur de l'accueil, la douceur – à propos de ce dernier mot qui va contre tout ce qui se dit et s'écrit en ce moment, un souvenir me vient qui date du temps où j'habitais rue de Sofia : un dimanche matin, je promenais dans sa poussette ma fille Cléo qui devait avoir deux ans lorsque, rue de Chartres, un vieil Algérien s'est penché pour poser un baiser sur sa main. Banal ? C'est le charme de la Goutte-d'Or.

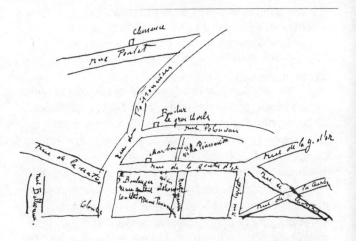

Avec *L'Assommoir*, Zola fait son entrée parmi les grands écrivains de Paris, qui sont tous, chacun à sa manière, des marcheurs. Lui, c'est crayon et carnet à la main, il prend des notes, il fait des croquis. Balzac court dans tout Paris entre ses imprimeurs, ses marchands de café, ses visites de maisons pour loger l'Étrangère. Parfois il marche au hasard, scrutant les enseignes à la recherche d'un nom pour un personnage (j'ai cité ailleurs le passage où Gozlan raconte comment il a été traîné, épuisé, « rues du Mail, de Cléry, du Cadran, des Fossés-Montmartre et […] place des Victoires », jusqu'à ce que, rue du Bouloi, Balzac trouve enfin ce qu'il cherche : « Marcas ! Eh bien, qu'en dites vous ? Marcas ! quel nom ! Marcas[59] ! »). Est-ce ainsi, en marchant, qu'il a trouvé des noms si justes qu'ils sont devenus des types, Nucingen, Rastignac, Gobseck, Birotteau ? Quant à Baudelaire, qui n'a jamais rien chez lui – quand il a un chez-lui –, c'est dans la rue qu'il travaille. Il le dit au début du « Soleil » :

> Je vais m'exercer seul à ma fantasque escrime,
> Flairant dans tous les coins les hasards de la rime,
> Trébuchant sur les mots comme sur les pavés,
> Heurtant parfois des vers depuis longtemps rêvés.

Au XXe siècle, ceux pour qui Paris n'est pas une toile de fond mais un thème, de Carco à Breton, de Calet à Debord, sont eux aussi de grands marcheurs. Proust est un cas à part : il n'arpente pas la ville, peut-être à cause de ses « étouffements », peut-être parce que ce n'est pas son sujet. En dehors des jardins des Champs-Élysées et du Bois, il la décrit rarement. Les passages de *La Prisonnière*, où il laisse filer sur la ville des notes aussi précieuses que sur telle église normande, sont tirés du moment du réveil, dans la chambre où les volets sont encore clos. Ce sont des bruits, ceux qui permettent de deviner le temps qu'il va faire (« […] selon qu'ils me parvenaient amortis et déviés par l'humidité ou vibrants comme des flèches dans l'aire résonnante et vide d'un matin spacieux, glacial et pur ; dès le roulement du premier tramway, j'avais entendu s'il était morfondu dans la pluie ou en partance pour l'azur ») ; ou bien les cris des petits métiers, du marchand d'escargots

(« Car après avoir presque "parlé" : "Les escargots, ils sont frais, ils sont beaux", c'était avec la tristesse et le vague de Maeterlinck, musicalement transposés par Debussy, que le marchand d'escargots, dans un de ces douloureux finales par où l'auteur de *Pelléas* s'apparente à Rameau : "Si je dois être vaincue, est-ce à toi d'être mon vainqueur ?", ajoutait avec une chantante mélancolie : "On les vend six sous la douzaine" »).

Après ce passage, d'autant plus digressif que Proust n'a sans doute jamais entendu parler de la Goutte-d'Or sauf s'il a lu *L'Assommoir*, je traverse la rue Myrha pour entrer dans un quartier différent. Rue Doudeauville, rue de Panama, rue de Suez, les couleurs des tissus, les coiffeurs, les restaurants, les grossistes proposant des produits frais provenant du Congo-Kinshasa, le marché de la rue Dejean où l'on trouve tous les poissons du golfe de Guinée (le capitaine, le tilapia, le sompate, le plas-plas, le thiof…) : c'est un coin d'Afrique, différent de la rue du Château-d'Eau et ses coiffeurs, mais aussi animé et joyeux. Sautant d'un monde dans un autre, à l'angle de la rue Labat j'ai une pensée pour Sarah Kofman, philosophe qui a écrit le plus beau livre sur la vie des juifs à Paris sous l'Occupation, *Rue Ordener, rue Labat* – le plus beau avec *Quoi de neuf sur la guerre ?* de Robert Bober, qui se passe autour du cirque d'Hiver[60].

Continuant la rue des Poissonniers après la rue Ordener et le métro Marcadet-Poissonniers, je passe à un quartier « normal » et plutôt vilain. Il était jadis sauvé par la vue sur les toits des ateliers de réparation des chemins de fer du Nord, bombés comme des dos d'animaux préhistoriques. Ces ateliers ont disparu. Où répare-t-on aujourd'hui les motrices malades ? Sans doute l'idée de réparation telle qu'on l'entendait est-elle obsolète, sans doute un technicien et son ordinateur viennent-ils repérer le capteur défectueux qui sera remplacé en deux minutes. Et quand c'est plus grave, un essieu, une suspension, peut-être laisse-t-on la motrice pourrir dans un coin. Toujours est-il que sur l'emplacement de ces ateliers on a construit des immeubles qui bouchent la vue, des espaces de stockage, des magasins de gros pour les professionnels de l'alimentation. Cette rive de la rue des Poissonniers est une *show street* où l'on pourra montrer un jour aux élèves architectes jusqu'où on pouvait aller à notre époque dans le toc et la vulgarité marchande.

Il existe pourtant une raison de faire le voyage vers ce coin perdu car il recèle, il cache presque l'un des plus beaux bâtiments parisiens du XXe siècle, l'immeuble d'Henri Sauvage, rue des Amiraux (nom donné en hommage au rôle de la marine dans la défense de Paris en 1871). C'est plus qu'un immeuble, un bloc rectangulaire revêtu de céramique blanche, une haute succession de gradins en retrait, des angles arrondis en quasi-tourelles, des percements disposés dans une rigoureuse variété,

une symétrie parfaite entre les deux faces, bref un miracle d'invention et de grâce. Sur le petit côté s'ouvre une piscine, précédée d'une marquise exquisément dessinée où quelques touches de céramique bleue rehaussent la blancheur d'ensemble. Ce chef-d'œuvre est aussi beau que l'immeuble construit par le même Sauvage rue Vavin, plus connu car Montparnasse est plus fréquenté. Il est vraiment dommage que l'on n'ait pas exécuté le projet de Sauvage pour la porte Maillot, deux immenses pyramides à gradins qui auraient encadré l'entrée qui manque à l'ouest de Paris.

La rue des Poissonniers se termine à la porte du même nom, c'est-à-dire dans un non-lieu, comme dit Marc Augé qui fut pendant des années mon camarade à Louis-le-Grand avant de devenir un célèbre ethnologue.

Pour gagner le nord en partant de la place de la Chapelle, je pourrais prendre un autre chemin, me faufiler entre l'axe Marx-Dormoy-la Chapelle et les voies de l'Est par la rue Pajol qui conduit à un micro-quartier centré sur le marché de l'Olive (nom du premier gouverneur de la Martinique). Depuis quelques années, les marchés couverts parisiens sont en butte à une offensive de la mairie visant à en faire des « espaces culturels », sportifs, gastronomiques ou autres. Après les Enfants-Rouges – l'un des derniers lieux où l'on entendait parler yiddish à Paris, totalement dénaturé sinon détruit –, le marché Secrétan, l'antique carreau du Temple que l'on pouvait croire voué pour toujours au cuir et au velours ont vu ainsi saccager leur structure de métal et de verre, et leurs activités si utiles, si parisiennes, devenir celles d'un *mall* de petite ville américaine. Le marché de l'Olive a heureusement conservé son bâtiment et son activité d'origine. Les rues qui l'entourent sont calmes, bordées de ce bâti ouvrier du XIXᵉ siècle qui est le tissu conjonctif de la Chapelle. Bref, c'est « un coin agréable » et, comme d'ordinaire en pareil cas, il est soumis au processus d'embourgeoisement – terme que je préfère à celui de gentrification, ne voyant pas ce que la *gentry*, l'aristocratie, vient faire dans un phénomène typiquement petit-bourgeois.

Le processus en est ici à ses débuts : le cadre n'a pas encore bougé, c'est la population qui change. À côté des Chinois, des Arabes, des pauvres de toutes origines qui peuplaient le quartier il y a encore dix ans, on voit s'installer une jeunesse blanche, pas très fortunée mais aussi sophistiquée qu'à Belleville ou à Aligre, avec ses codes vestimentaires, ses poussettes, ses baskets, ses coiffures et ses ordinateurs portables. On connaît la suite pour l'avoir vue apparaître et s'étendre à la Bastille, à Oberkampf, à Gambetta, rue Montorgueil, le long du canal Saint-Martin… Les cafés se multiplient, ils deviennent des restaurants et aux beaux jours leurs terrasses confluent en une nappe ininterrompue où s'agglutine une jeunesse si uniforme qu'elle est comme clonée. On voit s'ouvrir des magasins bio, des épiceries fines, des restaurants japonais. Puis, de vieilles boutiques, cordonneries, papeteries ou pâtisseries arabes baissent le rideau et, à la réouverture, ce sont des galeries d'art. À l'arrière-plan des œuvres exposées, des dossiers sont rangés sur des étagères et des jeunes gens tapent sur des ordinateurs. Personne n'entre ni ne sort, personne ne s'arrête pour regarder, c'est un signe agonique, la fin d'un quartier populaire.

Étant un petit-bourgeois vivant depuis plus de trente ans dans des quartiers qui se sont l'un après l'autre embourgeoisés, je vois bien la contradiction à décrire de façon critique un phénomène auquel, bon gré mal gré, je finis par participer. Il faudrait déménager périodiquement ou s'installer très loin, hors de portée une bonne fois pour toutes.

Partant du marché de l'Olive, la rue de l'Évangile mène vers l'étoile de la place Hébert (du nom d'un ancien maire et non du toujours et si injustement calomnié *Père Duchesne*). Elle décrit ensuite une longue courbe entre les voies de l'Est à droite, et à gauche l'énorme Cap 18, ensemble de petites entreprises – photogravure, imprimerie, corderie, menuiserie, verrerie – sous une architecture qui a le mérite de rester basse. Jusqu'à la fin des années 1950, cet espace était occupé par un groupe serré de gazomètres, hauts cylindres noirs souvent photographiés par les grands noms de l'époque.

À l'abouchement de la rue de l'Évangile dans la rue d'Aubervilliers se dresse un calvaire qui a donné son nom à la rue du « Calvaire-de-l'Évangile ». Son encadrement a disparu depuis longtemps mais le grand christ en bronze est toujours là, plus exotique dans le paysage moderne qu'à l'extrémité des gazomètres. Je me tenais devant la statue quand un vieil homme en djellaba, coiffé du bonnet plat des musulmans pieux, vint déposer sur le socle deux bougies contenues dans de petits cylindres d'aluminium telles qu'on en vend dans les supermarchés ou les églises, et les alluma. Se retournant, il vit mon étonnement et me dit doucement : « Je crois en tous les dieux, tous les dieux sont bons et justes. » Et ce polythéiste reprit son chemin en clopinant.

Parvenu au bout de la rue d'Aubervilliers, j'eus un moment d'égarement. Je ne savais plus où je me trouvais, je ne reconnaissais plus la bonne vieille porte d'Aubervilliers, petit rond-point où dans mon souvenir le boulevard Ney se continuait sans transition avec le boulevard Macdonald. Droit devant, au lieu de l'étroite avenue de la Porte-d'Aubervilliers s'ouvrait une large voie bordée par des immeubles récents. Surtout, à ma droite, ce que je finis par identifier comme le boulevard Macdonald était quelque chose de nouveau et stupéfiant. Des panneaux expliquaient cette apparition : les entrepôts Calberson, qui s'étendaient depuis les années 1960 entre la porte de la Chapelle et la porte de la Villette, avaient été dans ce segment Macdonald complètement transformés – mot trop faible : transfigurés, transmués.

C'est l'OMA (Office for Metropolitan Architecture), l'agence de Rem Koolhaas, qui a assuré la maîtrise d'œuvre de ce grand chantier. C'est d'elle que vient l'idée d'avoir gardé comme socle les anciens entrepôts, une grille métallique entre deux bandes de béton, haute comme deux étages ordinaires, qui court sur plus de six cents mètres sans interruption. Même sur l'unique faille, au milieu du bloc, la grille passe en pont au-dessus de voies de tramway. Sur ce socle s'alignent des modules

dessinés par chacun des quinze architectes du projet. Le premier niveau, moins haut que les autres, est en retrait, si bien que les modules sont en léger porte-à-faux. Ils sont soudés entre eux, alignés et de même hauteur, mais le dessin, la largeur et la couleur sont différents. Certains sont des bureaux, d'autres des logements, d'autres encore des espaces de stockage. On s'est permis une certaine fantaisie aux extrémités : du côté de la porte d'Aubervilliers, le module de Portzamparc se distingue par sa couleur orange et les pilotis sur lesquels il repose ; du côté de la porte de la Villette où sont rassemblés les services publics – école, collège, salle de sport –, l'agence Kengo Kuma a dessiné face au canal Saint-Denis un grand module où un toit à double pente asymétrique, une saillie oblique sur le vide percée de deux gros yeux ronds apportent une touche japonaise. Cet aménagement qui est comme un lotissement perché manque certes de fantaisie mais l'ensemble tranche néanmoins sur ce qui se construit aujourd'hui dans le secteur.

En face, entre le boulevard Macdonald et le périphérique, sur le terrain de l'hôpital Claude-Bernard détruit dans les années 1990, un quartier vient d'être construit, où certains bâtiments sont discutables – le cinéma et l'école en particulier – mais dont l'ensemble est bien articulé et évite les erreurs commises du côté de la Bibliothèque de France, les larges avenues ouvertes à tous vents. Le périphérique, bordé par un mur antibruit et par une petite forêt, est enjambé par une passerelle piétonne qui conduit à Aubervilliers – le sommet rutilant du Millénaire, nouveau centre commercial, émerge au-dessus du flot automobile. Ce quartier est animé, les cafés sur le boulevard sont accueillants, la population qui n'est pas uniformément blanche en a, semble-t-il, bien pris possession. Bref, pour une fois, « ce n'était pas mieux avant », du temps où le boulevard Macdonald était une traversée du désert entre les entrepôts et l'hôpital Claude-Bernard.

Cet hôpital, je l'ai beaucoup fréquenté dans ma vie de chirurgien. Il s'étendait sur une longue bande de terrain, de la porte d'Aubervilliers jusqu'au canal Saint-Denis. Consacré au traitement des maladies infectieuses et des pathologies tropicales, parasitaires et autres, il datait du début du XXe siècle, quand régnait partout l'idée de contagion, si bien qu'il était composé de pavillons d'architecture vaguement coloniale, à grande distance les uns des autres pour que les miasmes ne puissent se propager, pour éviter que les diphtériques ne contractent le paludisme ou les rougeoleux la maladie du sommeil. Vers 1970, on y avait implanté un service de réanimation où travaillaient d'excellents médecins – dont mon ami Claude Gibert, que j'ai connu là quand il était comme moi jeune chef de clinique, capable de rire de tout en prenant tout au sérieux jusqu'à passer ses jours et ses nuits entre les respirateurs, les seringues électriques et les moniteurs. Dans le service où je travaillais, à l'hôpital Laennec, quand une infection se déclarait chez un opéré, nous le faisions transporter à Claude-Bernard, où il allait être mieux soigné sans risque de contaminer les autres patients. Et j'allais, nous allions presque chaque jour là-bas voir comment tournait l'affaire, discuter du traitement avec Gibert et les autres. Trente ou quarante ans plus tard, ce sont des souvenirs à la fois bons et mauvais. Bons car cette équipe de Claude-Bernard était remarquable, sans ego gonflés, sans morale affichée, sans le mépris subtilement distillé des médecins envers les chirurgiens. Mauvais, car souvent malgré tous les soins c'était l'infection qui l'emportait, et perdre un

opéré dans ces conditions était particulièrement insup-
portable. Ma mémoire chirurgicale est d'ailleurs plus
peuplée d'échecs que de succès, ce qui est normal : les
suites simples étaient de loin les plus nombreuses, et ces
patients-là, il n'y a guère de raisons de se les rappeler,
alors que parmi les autres il en est qui restent comme
des reproches muets dans un coin de mes souvenirs.

Retour vers l'ouest par le boulevard Ney. Sur ce
long segment des boulevards des Maréchaux, Jean
Rolin a écrit *La Clôture*[61], livre qui mène en parallèle
l'histoire du maréchal Ney et la description précise et
souvent drôle du boulevard qui porte son nom et des
personnages qui le peuplent. Au début, il est question
de l'hôpital Bichat : « Si l'on se tient adossé au comptoir du café Au Maréchal Ney, porte de Saint-Ouen,
et si l'on regarde vers l'extérieur de Paris, on observe
que tout le quart nord-est du carrefour est occupé par
l'hôpital Bichat-Claude-Bernard, dont les bâtiments les
plus modernes et les plus élevés sont situés en bordure

du périphérique, et les bâtiments les plus anciens le long du boulevard Ney. De ce côté, le mur de l'hôpital, revêtu de briques d'un jaune sale, percé d'ouvertures assez rares et protégées par des grilles, offre un spectacle rébarbatif[62]. » Parmi ces ouvertures, il en est une, au premier étage, qui était la fenêtre de la chambre de l'interne de garde en chirurgie dans les années 1960. Comme elle surplombait la sortie du souterrain de la porte de Saint-Ouen, et comme la circulation nocturne des camions était alors intense (les Halles !), il n'était pas question de dormir en fin de nuit lorsque se calmait enfin l'afflux des patients lors de ces gardes infernales.

En 1961, j'étais interne dans le service de César Nardi. C'était un bel homme, élégant, excellent chirurgien, grand bourgeois mais non antisémite, ce qui était plutôt rare à cette époque et dans ce milieu. (Quand j'avais décidé de m'orienter vers la chirurgie, on m'avait fait remarquer qu'il n'y avait pas un seul juif parmi les chirurgiens des hôpitaux de Paris. Ce n'était du reste pas tout à fait juste : José Aboulker, chef du service de

neurochirurgie de l'hôpital Beaujon, était non seulement juif mais communiste. Son rôle héroïque lors de la libération d'Alger en 1942 en avait fait un personnage si prestigieux qu'il avait bien fallu l'accepter dans la caste.)

César Nardi était un passionné de golf. Un jour où il m'aidait pour ma première gastrectomie (consistant à enlever tout ou partie de l'estomac), alors qu'ayant commencé tard nous n'en étions qu'aux préliminaires, sur le coup de midi il me dit : « Hazan, c'est la Canada Cup, il faut que je vous laisse. » Je finis donc l'intervention avec deux jeunes externes. Dans les suites, j'allais voir cet opéré trois fois par jour tant il me semblait miraculeux que j'aie bien fait ce qu'il fallait. Cet homme, sculpteur dans le quartier, était si reconnaissant d'une telle attention qu'après sa sortie il me fit cadeau de ses deux motifs de prédilection, une tête de cerf et un buste de Beethoven.

On était alors en pleine guerre d'Algérie et l'hôpital Bichat recevait souvent des blessés par des balles qui provenaient tantôt de la police et tantôt de tirs entre militants du FLN et du MNA. Dans le service, la surveillante de l'équipe de jour faisait descendre les opérés algériens dès le lendemain de l'intervention au sous-sol, où le suivi et les soins étaient plus que réduits. Quand j'étais de garde, je les faisais remonter, si bien qu'un jour Nardi me demanda pourquoi je donnais la préférence aux Nord-Africains dans son service. Je lui demandai de m'accompagner au sous-sol, où il ne mettait jamais les pieds, et il me donna raison contre sa vieille peau de surveillante.

Il n'est pas facile de décrire ce qu'était un hôpital public dans un quartier comme celui de Bichat au début des années 1960. L'après-midi, on n'y trouvait plus aucun médecin ni chirurgien confirmé, ils étaient à leur cabinet « en ville » ou dans leur clinique. Admissions et interventions reposaient sur deux internes de garde, l'un en médecine et l'autre en chirurgie. Pour les anesthésies générales, il fallait obtenir l'autorisation téléphonique de l'un des deux chirurgiens de garde pour tout Paris, qui était en train d'opérer à Passy ou à Neuilly et qui donnait toujours – amicalement d'ailleurs, avec le fameux tutoiement – sa bénédiction, sauf s'il s'agissait d'un ou d'une mineur(e), auquel cas il devait être présent, restant le plus souvent en civil dans l'entrée de la salle d'opération. Les locaux vétustes étaient plus que pleins. L'hiver, à Bichat, on tendait de draps noirs les murs de la chapelle et l'on y entassait des brancards pour ceux qui étaient admis dans la nuit, toutes pathologies, toutes générations confondues. Personne n'y trouvait à redire, c'étaient des pauvres.

8

Je ne connais aucune capitale où le passage du dedans au dehors soit aussi marqué qu'à Paris. À Londres, à Tokyo, à Berlin – sans parler du Caire ou de Mexico –, on ne sait pas trop où le situer et la distinction même entre la ville et son extérieur est floue. Cette netteté de la frontière à Paris a, me semble-t-il, deux raisons principales. La première est l'existence de *portes*. Elles avaient autrefois une évidente matérialité quand elles s'ouvraient dans le mur des fortifications. Mais même après la destruction du mur dans les années 1920, même sans grilles ni factionnaires, ce ne sont pas des endroits que l'on traverse sans y penser. Dans l'espace désarticulé se distribuent des têtes de lignes d'autobus – à trois chiffres au lieu de deux dans Paris –, des postes d'essence, des stations de lavage de voitures, des tramways, des panneaux indiquant des destinations proches – Drancy, La Courneuve, Enghien… – ou lointaines, Melun ou Lille. Le sens premier de *porte* ne s'est pas effacé.

Le second élément qui rend si tranchée la limite de Paris, c'est le boulevard périphérique, beaucoup plus que les boulevards des Maréchaux qui, sans le périphérique, auraient finis digérés, inclus avec leur maigre ceinture d'HBM des années 1920 dans la croissance centrifuge de la ville. Le périphérique, sa large emprise, ses murs antibruit, ses bretelles d'accès, l'urbanisation qui le double d'une bande quasi ininterrompue de laideur *corporate*, c'est une tout autre affaire. Au moment de sa construction, il ne s'est pas trouvé grand monde pour prédire que cette voie benoîtement baptisée boulevard allait constituer une terrible enceinte entre le vieux et ce qui aurait pu être le nouveau Paris. Louis Chevalier, l'un des esprits les plus lucides du temps, évoque dans *L'Assassinat de Paris* nombre de catastrophes urbaines, Maine-Montparnasse, le quartier Italie, la Défense, le massacre de Belleville et, bien sûr, les Halles[63], mais, sauf erreur, il ne dit rien du périphérique. Dans *Panégyrique*, publié vingt ans après l'inauguration par l'heureusement oublié Pierre Messmer, Guy Debord n'en parle pas non plus et situe « à partir de 1970 » le moment où « cette ville a été ravagée un peu avant toutes les autres parce que ses révoltes toujours recommencées n'avaient que trop inquiété et choqué le monde[64] ». Le seul, me semble-t-il, à avoir compris ce qui se passait,

c'est Jean-Luc Godard. En 1967, dans *Deux ou trois choses que je sais d'elle*, la description du Paris où vagabonde Marina Vlady – juke-box et flippers dans les cafés, tasses vert sombre au liseré or, Ami 6, Peugeot 404, *France-Soir* et guerre du Vietnam – est montée en contrepoint heurté avec des plans sur les travaux du périphérique, où les mouvements des grues, des bétonneuses et des excavateurs sont soulignés par un son soudain très fort, presque douloureux, qui fait sentir la gravité de la menace.

La barrière du périphérique n'est pas seulement physique, elle joue aussi sur la représentation de la ville. En bornant Paris aux vingt arrondissements *intra-muros*, elle contribue à l'image d'une cité muséifiée, momifiée, où la vie populaire se réduit à un secteur de plus en plus étroit, confiné au nord-est entre Montmartre et Charonne. Or *cette image est fausse*, la traversée de Paris me l'a confirmé. Du Châtelet à la porte de la Chapelle, en pleine ville historique, les quartiers traversés sont restés en grande partie populaires. On y a rencontré, il est vrai, des poches d'embourgeoisement qui tendent à s'étendre mais le phénomène reste limité, presque marginal. Que ce soit dans le quartier Saint-Denis, aux environs des gares, tout au long du faubourg et dans la longue vallée de la Chapelle, c'est bien une ville populaire que j'ai arpentée. Peut-être ai-je plus ou moins consciemment choisi mon itinéraire pour cette raison, peut-être ma vision aurait-elle été différente si j'étais parti par la rue Montmartre ou la rue du Faubourg-Poissonnière. Mais que le centre et l'est de Paris soient des quartiers largement populaires, c'est une situation qui ne date pas d'hier, comme le montre mieux que tout la carte des barricades dressées lors des journées de juin 1848.

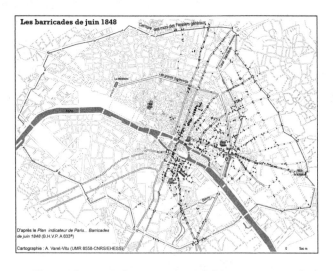

Les barricades de juin 1848

D'après le *Plan indicateur de Paris... Barricades de juin 1848* (B.H.V.P. A 833ª)

Cartographie : A. Varel-Vitu (UMR 8558-CNRS/EHESS)

Classer les quartiers en « populaires » ou non, c'est une dichotomie qui méconnaît sans doute les zones grises, les empiètements, les avancées et reculs qui évoluent de semaine en semaine. Aux extrêmes – rue des Francs-Bourgeois ou rue de Verneuil d'un côté, et de l'autre rue d'Avron ou avenue de Flandre –, le diagnostic est clair. Mais la République, par exemple, est-elle une place populaire ? Non et oui. Non car presque tous les cafés, les boutiques et les restaurants font partie de chaînes et ce qui s'y passe n'a plus rien à voir avec la vie populaire où l'on se retrouve entre amis et où l'on peut blaguer avec la patronne. Et oui, car celles et ceux qui traversent cette place à pied, à bicyclette ou sur planche à roulettes forment un échantillon représentatif, variable selon les heures, de ce qu'est le peuple parisien. (À comparer avec la place Saint-Germain-des-Prés ou la place des Vosges où, touristes mis à part, la population circulante représente une part homogène et minoritaire parmi les êtres humains vivant à Paris.)

Malgré toutes les nuances légitimes, il existe des marqueurs des quartiers populaires. Les stations de métro sont délabrées, les couloirs sales, les escalators souvent en panne et les sorties munies de dispositifs antifraude inconnus à La Muette ou à Franklin-Roosevelt. La présence policière est constante et visible, montrant qu'il s'agit de faire tenir tranquilles les pauvres plutôt que de protéger les riches. Les agences bancaires sont rares – une seule, sauf erreur, sur le long axe de la Chapelle, un Crédit lyonnais si vieux qu'on lit encore sur la façade la date de fondation de cette banque, 1863. En revanche, de nombreuses officines proposent l'envoi d'argent dans ce qu'on appelait autrefois le Tiers-Monde. D'autres permettent d'y téléphoner à prix imbattables. Les boutiques de téléphones portables offrent le *déblocage* des appareils. Les supermarchés sont *superdiscount*, Leader Price ou Dia plutôt que Monoprix. Les cafés sont kabyles, les tabacs chinois et les PMU toujours bondés. Le mercredi, les enfants sont nombreux à partir pour des centres aérés et dans leurs files multicolores la majorité n'est pas blanche. Et dans ces quartiers s'observe

ce qui est pour moi la tristesse même, le vieux travailleur algérien seul sur un banc avec son bonnet de fausse fourrure, sa moustache et sa canne – ou la dame âgée, aux chevilles enflées, qui boite en portant péniblement ses courses dans des sacs en plastique.

Le boulevard Ney est si long qu'à lui seul il fait face à trois communes de la couronne, Saint-Denis au centre, Saint-Ouen à l'ouest et Aubervilliers à l'est. Pour gagner Saint-Denis, terme de cette traversée, plusieurs chemins sont donc possibles. On peut suivre les berges du canal Saint-Denis, dans un paysage industriel et délabré dans la traversée d'Aubervilliers, puis résidentiel quand on aborde Saint-Denis et même chic dans la portion qui fait suite au pont du Landy : de petites maisons blanches, des abords propres, un traitement paysager soigné. Ceux qui y habitent sont sans doute des cadres travaillant près de là dans les bureaux tout neufs de la plaine Saint-Denis.

Autre chemin possible : sortir par la porte de Montmartre ou la porte de Clignancourt, traverser la Foire aux puces puis le vieux Saint-Ouen en oblique vers la mairie. En évitant les grands axes, le trajet est plein de charme, les rues sont calmes, bordées d'immeubles bas avec ici et là des « villas », impasses où chaque maison a son jardin. Des quartiers comme celui-ci, la banlieue parisienne en recèle des dizaines, de Clichy à Montreuil, de Vanves à Gentilly. Si le Grand Paris cessait d'être un sujet de gesticulations politiques, on pourrait faire le recensement de ces précieuses enclaves et penser l'ensemble à partir d'elles, au lieu qu'elles deviennent des îlots dans un océan de laideur brutale.

Après la mairie, on croise la rue du Landy, longue transversale tendue entre le pont de Saint-Ouen et Aubervilliers, dont le nom rappelle qu'au Moyen Âge se tenait dans ces abords la plus grande foire d'Île-de-France, la foire du Lendit. Un peu plus loin, c'est le carrefour Pleyel, ainsi nommé en mémoire d'Ignace Pleyel, concertiste et compositeur, élève de Joseph Haydn, qui fonda ici au début du XIXe siècle une manufacture de pianos sur lesquels jouèrent Chopin et Liszt. Malgré cette noble origine, le carrefour est désarticulé par des constructions neuves qui semblent jetées au hasard – le rond-point central n'est d'ailleurs pas rond : pour répondre vaguement à ce qui l'entoure, il n'a aucune forme définissable. L'ensemble est dominé par la tour Pleyel. Je fais partie du groupe sans doute restreint de ceux qui aiment cette tour, son léger effilement, la rigueur de sa grille, son étage vide avant le sommet et même l'énorme publicité plus ou moins elliptique qui tourne là-haut vantant en ce moment les mérites de Kia, marque coréenne d'automobiles. Je la trouvais très belle il y a quelques années quand elle était rouillée. Aujourd'hui le métal est peint en blanc, légèrement grisé par les intempéries, c'est très bien aussi.

Pour gagner Saint-Denis, j'ai choisi l'itinéraire le plus simple, la ligne droite le long de l'autoroute A1 en partant de la porte de la Chapelle. Les premiers mètres sont rudes, et d'ailleurs rares sont ceux qui se hasardent à pied dans l'étroit chemin abusivement nommé *avenue* de la Porte-de-la-Chapelle. À droite, « le bowling qui occupe le rez-de-chaussée du parking à plusieurs niveaux coincé entre le périphérique, l'échangeur, le boulevard Ney et la voie de chemin de fer coupant celui-ci en diagonale », passage de *La Clôture* qui évoque bien l'écrasement du marcheur sous une série de ponts entre lesquels les accès au ciel, à l'air libre, sont si étroits qu'il avance dans un tunnel de ferraille et béton[65]. À gauche, j'aperçois ce qu'on appelait naguère la déchetterie de la

Chapelle, affublée aujourd'hui du sigle CVAE (Centre de valorisation et d'apport des encombrants) : pyramides de débris, camions verts, ouvriers noirs.

Une fois passé sous le dernier pont – la bretelle de raccordement de l'autoroute avec le périphérique ouest – j'avance le long de l'autoroute, couverte après le premier kilomètre d'une dalle dont l'aménagement paysager a été confié dans les années 1990 à Michel Corajoud, également auteur de l'agréable jardin d'Éole qui borde la rue d'Aubervilliers. Les plantations et le mobilier parviennent à animer quelque peu cette interminable ligne droite qui porte le nom d'avenue du Président-Wilson, entrecoupée de parkings et de kiosques d'aération pour l'autoroute sous-jacente. Les jardiniers laissent de la liberté à la végétation où se mêlent orties et herbes folles. Bref, le pire est évité, ce qui n'était certes pas facile. Des deux côtés de cette « avenue », c'est un déroulé de banlieue triste et délabrée où la population est multicolore à dominante noire.

Tout change soudain une fois traversée la rue du Landy. En regard du stade de France, des immeubles de bureaux tout neufs abritent les sièges de grandes sociétés, SFR et la SNCF, Bouygues et la Matmut, une bonne partie du CAC 40 installée dans l'acier, le verre teinté, l'architecture la plus tape-à-l'œil du moment. La population n'est plus la même, elle est bien habillée et l'on entend même parler anglais. Dans les rues adjacentes, au lieu des kebabs et des entrepôts en ruine, les immeubles de luxe s'alignent à perte de vue. Étonnante mutation de la plaine Saint-Denis qui, après avoir long-temps été le domaine de l'industrie lourde, symbolisait il y a peu la misère du 93. Rassurons-nous, on l'a juste poussée un peu plus loin.

Au bout de l'avenue du Président-Wilson, l'hori-zon s'élargit d'un coup. Entre la courbe surélevée de l'autoroute A1 qui s'infléchit vers l'est, la soucoupe et les piques du stade de France, le canal Saint-Denis en contrebas formant un large bassin, la ville ancienne de Saint-Denis toute proche, il y a là, sur cette légère éminence, un effet de frontière. Pour la marquer, il fau-drait démolir l'immeuble qui la défigure et construire à sa place un monument, pour lequel on pourrait res-susciter Alexandre Vesnine ou Erich Mendelsohn. Il émettrait des ondes immatérielles qui partiraient d'un côté vers la tour Pleyel et de l'autre vers la basilique Saint-Denis dont la tour unique émerge de la masse ancienne de la ville.

En réalité, pour aller de Paris à Saint-Denis, presque tout le monde prend le métro – la ligne 13, la plus déglinguée, la plus irrégulière, toujours bondée dans sa partie prolétarienne entre Saint-Lazare et ses destinations du nord, Aubervilliers et Gennevilliers. Au sortir de la station Basilique, le quartier ressemble au centre d'Ivry, ce qui s'explique car il a été construit par la même architecte, Renée Gailhoustet. Le résultat ici est un peu moins convaincant, même si l'on retrouve le béton brut, les angles aigus, les terrasses plantées, les passages en hauteur qui faisaient le charme là-bas – sans doute parce que l'îlot est plus petit et plus dense, et que le parti de tout construire sur pilotis crée des coins sombres peu avenants.

Il était prévu que cette traversée mène d'une librairie – « Envie de lire » à Ivry – à une autre, et cette autre, c'est ici qu'elle se tient, au cœur de ce quartier, sur la place du Caquet. « Folie d'Encre » est à la fois l'opposé et l'homologue d'« Envie de lire ». Elle est plus grande, plus lumineuse, plus ordonnée, sans piles instables ni bacs extérieurs, mais elle est pour Saint-Denis ce qu'« Envie de lire » est pour Ivry : un centre, un point de rencontre, un lieu d'animation politique. La patronne, S., dont les enfants sont originaires d'Afrique de l'Est et de l'Ouest,

a su créer des liens avec le cinéma voisin, avec le théâtre Gérard-Philipe et même avec la basilique où elle organise des lectures. Des enfants viennent faire leurs devoirs parmi les livres, des associations y tiennent leurs réunions, les habitants parlent de *leur* librairie. Les rencontres, pour lesquelles des mamans préparent des plats africains, ne se font pas autour de titres à succès mais de questions que se pose une population en grande majorité arabe et noire. Des « procès publics » sont prévus, qui ne seront pas de ces débats où l'ennui est au programme.

La mairie, communiste depuis toujours, a aidé à l'implantation de la librairie en centre-ville. Sur la place Jean-Jaurès, son architecture IIIe République voisine sans trop de mal avec la façade de la basilique voisine. Rien ne rappelle que des événements graves eurent lieu ici dans l'entre-deux-guerres, ce qui s'explique car ces souvenirs désagréables ne peuvent servir à personne. C'est pourtant bien à Saint-Denis et en particulier autour de sa mairie qu'eut lieu la fulgurante ascension de Jacques Doriot : ouvrier métallurgiste démobilisé en 1918, leader des Jeunesses communistes après le congrès de Tours, menant de front la lutte antimilitariste et anticolonialiste contre la guerre du Rif, député de Saint-Denis à vingt-cinq ans alors qu'il sortait de prison, maire de la ville à trente ans, il était le plus populaire des dirigeants du Parti. Mais son opposition à la ligne « classe contre classe » allait le conduire à la rupture avec Thorez puis à la dérive fasciste jusqu'à l'alignement avec les nazis pendant l'Occupation. Terrible histoire dont sans doute beaucoup de *Dyonisiens* ne savent rien aujourd'hui.

De la place Jean-Jaurès part la rue de la République, axe piétonnier du centre-ville. Elle fait penser à la rue du Faubourg-du-Temple en plus bariolée si c'est possible – voiles, turbans, dreadlocks, nattes, casquettes de base-ball, bonnets : toute une jeunesse est là chez elle, entre des boutiques pauvres, prêt-à-porter, parfumeries, déblocage de portables. Le rythme est lent et l'ambiance paisible, comme dans une ville d'Orient. L'œil le plus perçant n'y décèlerait aucun symptôme d'embourgeoisement débutant et pourtant c'est tout le contraire d'un ghetto, c'est une autre forme de vie qui a pris naissance dans cette rue bordée d'immeubles ouvriers du XIXᵉ siècle, où je me sens chez moi comme si j'y avais toujours vécu.

Elle se termine face à une assez laide église due à Viollet-le-Duc. Il est étrange que ce restaurateur de tant de monuments magnifiques – y compris la basilique à l'autre extrémité de la rue – soit l'auteur, quand il fait œuvre originale, d'une architecture aussi médiocre. En contournant l'église par la gauche, en suivant la ligne du RER et du Transilien dans un paysage désolé, on finit par arriver là où le canal Saint-Denis rejoint la Seine. Une pelouse effilée, quelques peupliers marquent la confluence. Espérons qu'elle restera aussi simple, qu'elle ne subira pas le sort d'une autre rencontre fluviale, celle de la Marne et de la Seine gâchée par un malencontreux hôtel en forme de pagode.

Je marche pour revenir à Paris dans un décor de masures, d'immeubles récents et de chantiers en cours, jusqu'à la gare de Saint-Denis. Avant d'y parvenir, j'apprends sur un panneau rédigé dans le style particulier à ce genre d'annonce, que là sera construit « un nouvel écoquartier, un nouvel art de vivre, un patrimoine industriel valorisé par la présence d'artistes, un quartier aux portes de Paris, connecté, accessible et vivant ». Dans la gare surpeuplée, sale et malcommode, il faut prendre garde à ne pas fâcher les brutes de la Sécurité ferroviaire pour éviter de se retrouver face au mur, les mains en l'air, fouillé jusque dans les moindres poches. Le spectacle est permanent. Telles sont les deux faces de Saint-Denis, l'une solaire et l'autre sordide et brutale, entre le Marlowe californien de Raymond Chandler et le Marlowe africain de Joseph Conrad.

Les images de Paris ont toujours été multiples et contrastées, du *sombre Paris* de Baudelaire au rêve hollywoodien d'*Un Américain à Paris*. Cependant, à certains moments troublés, quand la ville cesse d'être « une fête », un tableau particulier se construit dont les traits se ressemblent étrangement au fil des époques : une ville menacée par l'afflux d'éléments étrangers, par une invasion – Paris étant souvent pris comme métonymie de la France. Sous le Second Empire, les convives de la princesse Mathilde, Taine, Flaubert, les frères Goncourt, redoutaient la *populace* parisienne et furent soulagés par l'écrasement de la Commune, composée aux trois quarts d'étrangers d'après Maxime Du Camp. Soixante-dix ans plus tard, sous l'Occupation, Céline, Brasillach, Rebatet dénonçaient (parfois au sens propre) ce juif omniprésent à Paris, pour lequel « il avait fallu le dogme insane de l'égalité des hommes pour qu'il pût à nouveau se faufiler parmi nous[66] ». Aujourd'hui, soixante-dix ans plus tard, une nouvelle fois des auteurs à succès de plus en plus nombreux parlent des « islamistes » dans les banlieues – surtout à Paris – comme Maurras traitait les juifs et Dumas fils les ouvriers révoltés. Dans ces discours apparaît le même mélange de mépris et de peur avec toujours une composante policière, un appel plus ou moins explicite à une réaction musclée contre ceux qui foulent aux pieds nos précieuses *valeurs*.

Je fais confiance à Paris pour se secouer et évacuer une nouvelle fois tous ces miasmes. Je serais tenté de suivre l'illustre exemple de Stendhal qui souhaitait que l'on écrive sur sa tombe « Arrigo Beyle, milanese ». Car « parisien » c'est bien ce que je me sens être, bien plus que français ou juif, costumes qui ne me vont pas du tout. Habitant depuis toujours cette grande ville qui réunit dix millions d'êtres humains, je comprends et même je plains ceux qui vivent dans des ghettos de riches et sont effrayés, quand ils en sortent, de voir tant de *gens* qui ne leur ressemblent pas. Ils se rassurent en pensant que tout ça durera bien autant qu'eux, que leurs journaux et leurs écrans maintiendront la durable *résignation* du peuple parisien, des caissières et des serveuses, des conducteurs d'autobus et des ouvriers du bâtiment, des chômeurs, des chauffeurs-livreurs et des sans-papiers, de ce prolétariat peuplant les rues que j'ai parcourues dans cette courte traversée d'une ville bien plus vaste. Je pense qu'ils se trompent. Je pense que, sur une musique et des paroles nouvelles, ce prolétariat multicolore porte l'héritage des mémorables journées dont j'ai montré les traces. Que tout inorganisé qu'il est et sans conscience claire de cet héritage, il est uni par le sentiment de son exploitation sans fin et qu'il montrera un jour que non, le peuple n'a pas perdu la bataille de Paris.

Notes

1. Ernst Jünger, *Journaux de guerre*, Paris, Julliard, 1990, p. 491.

2. Alexis de Tocqueville, *Souvenirs*, Paris, Gallimard, coll. « Folio Histoire », 1999 [1850], p. 182.

3. Victor Marouck, *Juin 1848*, Paris, Spartacus, 1998 [1880], p. 101.

4. J.-K. Huysmans, *La Bièvre et Saint-Séverin*, Paris, Stock, 1898, p. 10.

5. Auguste Blanqui, *Maintenant il faut des armes*, textes choisis et présentés par Dominique Le Nuz, Paris, La Fabrique, 2006, p. 397. La lettre est datée du 1er mars 1879.

6. Laure Beaumont-Maillet, *Guide du Paris médiéval*, Paris, Hazan, 1997, p. 132.

7. Pour apprendre à dater les immeubles parisiens, voir l'irremplaçable *Paris XIXe siècle. L'immeuble et la rue*, de François Loyer, Paris, Hazan, 1987.

8. Le poème s'intitule « Politique ». Daté de 1831, il fut publié en 1853 dans *Petits châteaux de Bohême*.

9. Louis Chevalier, *Les Parisiens*, Paris, Hachette, 1967, p. 360.

10. Gustave Lefrançais, *Souvenirs d'un révolutionnaire*, Paris, La Fabrique, 2012.

11. Georges Canguilhem, *Vie et mort de Jean Cavaillès*, Paris, Allia, 2014 [1984].

12. Léon Daudet, *Paris vécu*, in *Souvenirs et polémiques*, Paris, Robert Laffont, coll. « Bouquins », 1992 [1929], p. 1073.

13. Lire sur le sujet l'excellent ouvrage de Laure Murat,

Passage de l'Odéon, Paris, Fayard, 2003. Disponible dans la collection « Folio », 2005.

14. Gustave Tridon, *Les Hébertistes*, Bruxelles, 1871, p. 38.

15. Dolf Oehler, *Le Spleen contre l'oubli. Juin 1848*, Paris, Payot, 1996, p. 22.

16. Francis Carco, *De Montmartre au Quartier latin*, Monaco, Sauret, 1993 [1927], p. 123.

17. Louis-Sébastien Mercier, « Les Carrières », in *Tableau de Paris*, Paris, Laffont, coll. « Bouquins », 1990, p. 36.

18. Voir Jean-Pierre Babelon, *Demeures parisiennes sous Henri IV et Louis XIII*, Paris, Hazan, 1991.

19. Louis-Sébastien Mercier, *Tableau de Paris, op. cit.*, p. 205.

20. Jean-François Cabestan, communication personnelle.

21. Gérard de Nerval, *Les Nuits d'octobre*, Paris, Classiques Garnier, 1966 [1852], p. 417.

22. Louis Chevalier, *L'Assassinat de Paris*, Paris, Calmann-Lévy, 1977. Réimpression Ivréa, 1997.

23. Propos recueillis pour *Macadam* par François Chaslin, alors journaliste, et republiés dans *Les Paris de François Mitterrand*, Paris, Gallimard, 1985.

24. Voir Françoise Fromonot, *La Campagne des Halles. Les nouveaux malheurs de Paris*, Paris, La Fabrique, 2005.

25. Louis-Sébastien Mercier, *Tableau de Paris, op. cit.*

26. François Loyer, *Paris XIXᵉ siècle, op. cit.*

27. Dans le *Salon de 1859*, à propos de Meryon. La phrase entière : « Les majestés de la pierre accumulée, les clochers montrant du doigt le ciel, les obélisques de l'industrie vomissant contre le firmament leurs coalitions de fumée, les prodigieux échafaudages des monuments en réparation, appliquant sur le corps solide de l'architecture leur architecture à jour d'une beauté si paradoxale, le ciel tumultueux, chargé de colère et de rancune, la profondeur des perspectives augmentée par la pensée de tous les drames qui y sont contenus, aucun des éléments complexes dont se compose le douloureux et glorieux décor de la civilisation n'était oublié. »

28. Victor Marouck, *Juin 1848, op. cit.*, p. 37.

29. Charles Jeanne, *À cinq heures nous serons tous morts !*,

présenté et commenté par Thomas Bouchet, Paris, Vendémiaire, 2011. Voir également Thomas Bouchet, *Le Roi et les barricades. Une histoire des 5 et 6 juin 1832*, Paris, Seli Arslan, 2000.

30. Voir Dolf Oehler, *1848, le spleen contre l'oubli*, op. cit.

31. Henri Heine, *De la France*, Paris, Gallimard, 1994 [1833], p. 172.

32. Renzo Piano, *Carnet de travail*, Paris, Seuil, 1997.

33. Voir l'excellent entretien de Piano et Rogers avec Antoine Picon dans *Du plateau Beaubourg au Centre Pompidou*, Paris, Éd. du Centre Pompidou, 1987. Les citations qui suivent sont extraites de cet ouvrage.

34. Sur tous ces points, on lira avec profit le livre de François Chaslin, *Un Corbusier*, Paris, Seuil, 2015.

35. Pour le détail de cette émeute, voir Éric Hazan, *La Barricade. Histoire d'un objet révolutionnaire*, Paris, Autrement, 2013.

36. Cité *in* M. Vimont, *Histoire de la rue Saint-Denis de ses origines à nos jours*, Paris, Les Presses modernes, 1936, 3 vol., t. I, p. 327.

37. *Ibid.*, t. III, p. 51.

38. *Ibid.*, p. 68.

39. *Ibid.*, p. 83.

40. *Ibid.*, t. II, p. 225.

41. La Fabrique, 2009.

42. Thierry Schaffauser, *Les Luttes des putes*, Paris, La Fabrique, 2014.

43. Walter Benjamin, *Paris, capitale du XIXᵉ siècle. Le livre des passages*, Paris, Éd. du Cerf, 1989, p. 73.

44. Daniel Stern, *Histoire de la révolution de 1848*, Paris, Balland, 1985 [1850], p. 619-620.

45. Au début de *Nadja*. L'imprimerie du *Matin* se trouvait à l'angle du boulevard Poissonnière et de la rue du Faubourg-Poissonnière.

46. *Mémoires d'outre-tombe*, livre XXXIII, chap. 9.

47. Au début de *Ferragus*.

48. Jean-Paul Sartre, *Les Mots*, Paris, Gallimard, 1964 ; coll. « Folio », p. 146.

49. *Journal* des Goncourt, octobre 1857.

50. Thomas Clerc, *Paris, musée du XXIe siècle. Le dixième arrondissement*, Paris, Gallimard, coll. « L'Arbalète », 2007, p. 13.

51. *Gare du Nord* est l'un des sketchs de *Paris vu par...* (1964). Les autres sont dus à Jean-Luc Godard, Éric Rohmer, Claude Chabrol, Jean Douchet et Jean-Daniel Pollet.

52. On trouvera de très bonnes photos de ces statues et le nom de leurs auteurs sur le site <http://www.nella-buscot.com/jardins_paris_10_gare_du_nord_1.php>.

53. Marcel Proust, *À l'ombre des jeunes filles en fleurs*.

54. Sur ce tableau, voir Éric Hazan, *L'Invention de Paris. Il n'y a pas de pas perdus*, Paris, Seuil, 2012.

55. Bari, Laterza, 1958. Anna Maria Ortese est aussi l'auteur d'un des plus beaux livres sur Paris, *Le Murmure de Paris*, trad. fr. Claude Schmitt, Paris, Mille et une nuits, 1999.

56. Pour les détails, voir Lucien Lambeau, *Histoire des communes annexées à Paris en 1859*, t. V, Paris, Ernest Leroux, 1923.

57. Victor Marouck, *Juin 1848*, *op. cit.*

58. Maurice Culot (dir.), *La Goutte d'Or, faubourg de Paris*, contributions de Marc Breitman, François Loyer, Bernard Marrey *et al.*, préface de Louis Chevalier, Bruxelles, AAM, 1988.

59. *L'Invention de Paris*, *op. cit.*, p. 404.

60. Sarah Kofman, *Rue Ordener, rue Labat*, Paris, Galilée, 1994 ; Robert Bober, *Quoi de neuf sur la guerre ?*, Paris, POL, 1993.

61. Jean Rolin, *La Clôture*, Paris, POL, 2002 ; rééd. coll. « Folio », 2004.

62. *Ibid.*, coll. « Folio », p. 23.

63. Louis Chevalier, *L'Assassinat de Paris*, *op. cit.*, IIIe partie, « Les pouvoirs et les choix ».

64. Guy Debord, *Panégyrique*, Paris, Gallimard, 1993, p. 50 et 51.

65. Jean Rolin, *La Clôture*, *op. cit.*, p. 35.

66. Lucien Rebatet, *Les Décombres*, in *Le Dossier Rebatet*, Paris, Robert Laffont, coll. « Bouquins », 2015 [1942], p. 138.

Légendes des illustrations

Les photographies sans mention de copyright ont été prises par l'auteur.

Index

1. INDEX TOPOGRAPHIQUE DE PARIS

2. INDEX THÉMATIQUE

Œuvres citées
(livres, poèmes, films)

3. INDEX DES NOMS DE PERSONNES

Table

L'Invention de Paris
Il n'y a pas de pas perdus
Seuil, 2002 et 2012
et « Points », n° P1267

Chronique de la guerre civile
La Fabrique, 2004

Faire mouvement
Entretiens avec Mathieu Potte-Bonneville
Les Prairies ordinaires, 2005

LQR
La propagande du quotidien
Raisons d'agir éditions, 2006

Notes sur l'occupation
Naplouse, Kalkilyia, Hébron
La Fabrique, 2006

Changement de propriétaire
La guerre civile continue
Seuil, 2007

L'Antisémitisme partout
Aujourd'hui en France
(avec Alain Badiou)
La Fabrique, 2011

Paris sous tension
La Fabrique, 2011

Un État commun
Entre le Jourdain et la mer
(avec Eyal Sivan)
La Fabrique, 2012

Une histoire de la Révolution française
La Fabrique, 2012

Views of Paris
Bibliothèque de l'image/Bibliothèque nationale de France, 2013

La Barricade
Histoire d'un objet révolutionnaire
Autrement, 2013

Premières mesures révolutionnaires
Après l'insurrection
La Fabrique, 2013

La Dynamique de la révolte
Sur des insurrections passées et d'autres à venir
La Fabrique, 2015

Pour aboutir à un livre
La fabrique d'une maison d'édition
Entretiens avec Ernest Moret
La Fabrique, 2016

RÉALISATION : NORD COMPO À VILLENEUVE-D'ASCQ
IMPRESSION : CPI FRANCE
DÉPÔT LÉGAL : MAI 2017. N° 135819 (3022101)
IMPRIMÉ EN FRANCE